NEDERLAND

EINDHOVEN

Maaseik

Tongerlo

Diest
Bokrijk
Hasselt
MAASTRICHT
DEUTSCHLAND

Leuven
Sint-Truiden
AACHEN
Tongeren

Zétrud-Lumay

sart
Corroy-le-Grand
Liège
Limbourg

ers-la-Ville
Vesdre

Meuse
Saint-Séverin-en-Condroz
Les Fagnes

Huy
Fonds-de-Quareux

Namur
Ambléve
Warche
Celles
Stavelot

Annevoie
Crupet
Durbuy

Spontin
Meuse

Ourthe
Dochamps

Freyr
Dinant
La Roche-en-Ardenne
Reuland
Weweler

Hastière-par-Delà
Walzin
Le Hérou

Musée de la
Vie Rurale

Saint-Hubert

Meuse

Bastogne

Lesse

Sensenruth
Le Tombeau du Géant

GRAND-DUCHE DE LUXEMBOURG

Dohan

Chassepierre
Arlon

Semois

LUXEMBOURG

Belgique

België

Belgium

Belgien

Textes – Teksten – Text – Texte

Georges-Henri Dumont

de l'Académie royale de Langue et de Littérature françaises

Photos – Foto's – Photos – Aufnahmen

Damien Hubaut, Paul Merckx

Belgique

Un pays pour toutes les saisons

België

Land van alle getijden

Belgium

A country for all seasons

Belgien

Ein Land für alle Jahreszeiten

Editions Paul Merckx Uitgeverij

En Belgique, les routes montent vers la forêt et descendent vers la mer. Rapidement, car les distances sont très courtes. A peine a-t-on quitté les plages du littoral que déjà l'on pénètre en Flandre intérieure, où les villages se soudent les uns aux autres pour former de petites villes. Au sud du sillon Sambre-et-Meuse, une série de bandes gréseuses, parallèles comme des rides sur un front, annoncent les crêtes boisées du Condroz. En Famenne, les rivières se perdent, pénètrent dans les roches fissurées, s'engouffrent dans les « chantoirs » pour réapparaître au fond des vallées comme de nouvelles sources. L'Ardenne est proche. Telle un bouclier relevé vers l'Allemagne et s'y prolongeant par l'Eifel, elle se soulève en vagues successives et se maintient, par endroits, à plus de six cents mètres d'altitude. Les rivières se heurtent à des arêtes rocheuses et se replient en méandres capricieux au creux de la forêt souveraine. La forêt d'Anlier marque la fin de l'Ardenne; elle surplombe la Gaume et lui assure la protection contre les vents du nord et du nord-ouest. Nous sommes à l'autre bout de la Belgique. Il y a même des vignes qui s'étagent au soleil. Mais quelque trois cents kilomètres à peine séparent Ostende de Virton!

Deux grands fleuves navigables — l'Escaut et la Meuse — traversent la Belgique du midi au septentrion. Au cours de deux millénaires, ils n'ont cessé d'unir leurs riverains, d'engendrer des solidarités et de charrier les grands courants culturels.

L'Escaut est, par excellence, le fleuve de la mer et c'est sur ses rives, à Tournai, que la dynastie mérovingienne se créa et se renforça avant de s'orienter vers Paris. A l'époque de l'art roman, le mouvement se fit dans l'autre sens : les influences prépondérantes s'exercèrent à partir de la France. A Tournai encore et à Soignies s'élevèrent les monuments religieux les plus significatifs du domaine scaldien, l'un et l'autre apparentés à l'esthétique normande.

Très vite la cathédrale de Tournai fit souche et ses rameaux se développèrent dans la plaine flamande et en Brabant, singulièrement à Gand et à Bruges. Le courant scaldien se maintint toujours aussi puissant à l'âge du gothique, mais avec une originalité de plus en plus accusée et une évidente perméabilité au courant mosan.

Faut-il le dire? C'est à l'Escaut qu'Anvers doit sa prestigieuse vocation portuaire.

La Meuse est, dans sa majeure partie, le fleuve de la forêt. Dans son bassin naquit la dynastie des Pippinides qui prit le relais de celle des Mérovingiens et, sous le règne de Charlemagne, dilata la chrétienté jusqu'à l'Elbe. Il en résulta, par la suite, une large ouverture aux influences germaniques. Le prince-évêque Notger, le véritable fondateur de la grandeur de Liège, était un Souabe nommé par l'empereur Otton I er, et c'est tout naturellement que l'église Saint-Jean fut édifiée sur le plan octogonal de la chapelle palatine d'Aix. Pendant des siècles, un intense dialogue culturel se poursuivit entre la région rhénane et la région mosane.

Facteur décisif, dès l'Antiquité, de relations continues entre les bassins de la Meuse et de l'Escaut, une route les traversa d'est en ouest, reliant Cologne à Boulogne et, plus tard, à Bruges dont le port fut hanté de marchands qui chargeaient la production locale de draps et déchargeaient les laines d'Angleterre et d'Espagne, les épices et les produits de l'Orient.

Plus que nul autre pays au monde, la Belgique est une terre de villes. Cela s'explique assurément par la densité de la population : 327 habitants par kilomètre carré. Chaque ville a son caractère propre, hérité de ses origines diverses et de ses rivalités anciennes, mais les principales ont en commun un passé marqué par la volonté d'autonomie et la soif de libertés.

La position géographique des principautés belges, le développement économique de leurs villes et la convergence des

Wie in België bergop rijdt, komt haast onvermijdelijk in een bos terecht; rijdt hij beraf, dan staat hij weldra voor de zee. De afstanden zijn maar kort. Nauwelijks heeft de reiziger de kuststreek verlaten, of hij zit al in Binnen-Vlaanderen, waar de dorpen samengroeien, zodat er kleine steden ontstaan. Ten zuiden van het bekken van Samber en Maas is het landschap van zandsteenhoudende en evenwijdig met elkaar lopende vouwlijnen doorsneden, die er uitzien als rimpels op een voorhoofd en die de beboste heuvelruggen van de Condroz aankondigen. In de Famenne zijn er rivieren die ineens onder de gespleten rotsblokken verdwijnen en via grotten met echogewelven naar andere valleien stromen en daar weer uit de grond opborrelen. Even verder beginnen de Ardense hoogten, een soort schilddak langs de Duitse grens, dat na een aantal aanlopen op verscheidene plaatsen een hoogte van meer dan 600 m boven de zeespiegel bereikt alvorens het enigszins wordt voortgezet door de Eifel. Beken en rivieren worden er meer dan eens door heuvelkammen gestuit en gedwongen zich in allerlei vreemde bochten te wringen om zich een weg door de alomtegenwoordige bossen te banen. Het bos van Anlier is de laatste uitloper van de Ardennen. Het steekt boven het land van Gaum uit en weert de noord- en noordwestenwinden. In deze zuidelijke uithoek van België — Virton ligt op een afstand van amper 300 km van Oostende! — liggen trapsgewijs aangelegde wijngaarden zich in de zon te koesteren.

Twee grote waterwegen, de Schelde en de Maas, doorstromen België noordwaarts. Al twee millennia lang hebben ze banden tussen de oeverbewoners gelegd, saamhorigheidsgevoel doen ontstaan en de uitstraling van grote culturele stromingen in de hand gewerkt.

De Schelde is de laaglandrivier bij uitstek. Aan haar oevers ontstond de dynastie van de Merovingers, die haar machtspositie in Doornik verstevigde, alvorens ze naar Parijs trok om daar haar kans te wagen. Ten tijde van de Romaanse kunst verliep de beïnvloeding in tegenovergestelde richting. De in Doornik en Soignies (Zinnik) opgerichte religieuze bouwwerken waren toen de opmerkelijkste van het hele Scheldebekken en dragen allebei kentekenen van de toen voor Frankrijk, om precies te zijn voor Normandië, typische bouwtrant.

De kathedraal van Doornik stond op haar beurt model voor talrijke godsdienstige bouwwerken in de Vlaamse contreien — voornamelijk in Gent en Brugge — en in Brabant. Eeuwen later, ten tijde van de triomftocht van de gotiek, ontstond er eveneens een Scheldegotiek, die haar eigen kenmerken wist te bewaren, terwijl ze zich meer en meer openstelde voor invloeden uit het Maasgebied. Dat de Schelde bovendien de goede fee was die aan de wieg van Antwerpen en zijn haven stond, hoeft geen betoog.

De Maas is in tegenstelling tot de Schelde een dochter van de bossen langs haar oevers. Het Maasbekken werd het machtscentrum van de Pepijnen, die de Merovingers opvolgden en onder Karel de Grote het christendom tot op de oevers van de Elbe deden zegevieren. Dit had een toename van de germaanse invloeden tot gevolg. Notker, de eigenlijke stichter en grote prinsbisschop van Luik, was een door keizer Otto I benoemde Zwaab. Het hoeft dan ook niemand te verbazen dat bv. de St.-Janskerk volgens het octogonale grondplan van de paltskapel te Aken werd gebouwd. Toen nam de eeuwenlange, diepgaande culturele dialoog tussen Rijnland en Maasvallei een aanvang.

De heirbaan van Keulen op Boulogne, later op Brugge was sedert de Oudheid een belangrijke oost-westverbinding, die de contacten tussen Schelde- en Maasvallei in hoge mate bevorderde, vooral toen de handelaars te Brugge de produktie van de plaatselijke lakenwevers opkochten en er Engelse evenals Spaanse wol, Oosterse specerijen en andere handelsartikelen invoerden.

In België zijn er verhoudingsgewijs meer steden dan in om het even welk ander land ter wereld. Dit houdt natuurlijk verband met de bevolkingsdichtheid (327 inwoners per vierkante km). Elke stad heeft haar eigen cachet, dat o.a. bepaald wordt door haar oorsprong en rivaliteiten die ooit tussen steden hebben bestaan, maar ze hebben ook een gemeenschappelijk verleden dat gekenmerkt is door een zelfde streven naar vrijheid en zelfbestuur.

De ligging van de Belgische vorstendommen, de bloei van de steden en gelijkgerichte belangen leidden tot de sluiting van vaak onbestendige verbonden. Het waren enigszins voorboden van de «federatieve» vereniging van «de landen van herwaarts over» onder de hertogen van Bourgondië (van het Huis Valois), vooral onder de «Conditor Belgii» (= stichter van België) Filips de Goede (1419-1467). De door dit vorstenhuis gelegde banden werden als het ware nog meer kracht bijgezet door de schilders, beeldhouwers, bouwmeesters, componisten en schrijvers van deze «Gouden Eeuw», die de groeiende verstandhouding en het eigen karakter van deze beschaving op Europees vlak vertolkten. We vermelden slechts enkele namen: de gebroeders Van Eyck, Rogier van der Weyden, Hans Memling.

Door zijn huwelijk met Maria van Bourgondië, de enige dochter van de in 1477 te Nancy omgekomen Karel de Stoute, kwam Maximiliaan van Oostenrijk en meteen ook het Huis Habsburg in de Lage Landen aan de macht. Deze europeanisatie ging aanvankelijk gepaard met een haast ongeëvenaarde luister. Ten tijde van Karel V (1500-1555), die de XVII Provinciën aan alle vormen van buitenlandse inmenging onttrok, was het land het rijkste van Europa. Antwerpen, de ontmoetingsplaats van duizenden kooplieden en bankiers, van tientallen kunstenaars en geleerden, verdiende terecht de metropool van West-Europa genoemd te worden.

De diepgewortelde gehechtheid aan de vrijheden — de godsdienstvrijheid en de andere — leidde tot de opstand tegen het eigenmachtig optreden en de onverdraagzaamheid van Filips II met als gevolg het uiteenbarsten van de XVII Provinciën in twee stukken: de calvinistische Verenigde Provinciën in het Noorden (nu het Koninkrijk der Nederlanden) en de katholieke Zuidelijke Nederlanden (nu België en Luxemburg). In deze Zuidelijke Nederlanden volgden buitenlandse heersers en bezetters elkaar op, maar de soms door perioden van economisch herstel onderbroken eeuwen van oorlog en vernedering brachten ook een versterking van de wederzijdse banden tussen de verschillende streken met zich mee. Ook op artistiek en literair vlak bleef de vlam branden. De werken van Brueghel en Patinir in de 16de, die van Rubens, Van Dijck, Jordaens in de 17de en die van de prins de Ligne en Grétry in de 18de bewijzen het ten overvloede.

Alhoewel oorspronkelijk niemand de breuk tussen de XVII Provinciën had gewild, bracht de gescheiden ontwikkeling geleidelijk aan een vervreemdingsproces op gang, dat door godsdienstige verschillen en tegenovergestelde handelsbelangen werd aangewakkerd. De vertegenwoordigers van de mogendheden die Napoleon hadden verslagen, begingen dan ook een flater van formaat, toen ze tijdens het Congres van Wenen (1814-1815) besloten Noord en Zuid samen te voegen en er het Verenigd Koninkrijk der Nederlanden van te maken. Niettegenstaande zijn economische voordelen was dit onvrijwillige huwelijk niet bestand tegen de uiteenlopendheid van karakter der huwelijkspartners en de onhandigheid van Willem I. Toen de gemeenschap van goederen vijftien jaar had geduurd, brak de Revolutie van 1830 uit en kon het zegevierende Belgische volk eindelijk een streep zetten onder een eeuwenoude strijd. Het vormde een onafhankelijke staat en koos als regeringsstelsel de grondwettelijke en parlementaire monarchie.

De eerste Belgische historici lieten niet na de buitenlanders terecht te wijzen die het nieuwe België als een zuiver formele constructie beschouwden. De meest begaafde onder hen, Jean-Baptiste Nothomb, tevens politicus en diplomaat, schreef in zijn «Historische en politieke verhandeling over de Belgische Omwenteling»: «De Belgen hebben weliswaar meer dan twee eeuwen lang voortdurend onder de heerschappij van een of

intérêts rendirent indispensable la conclusion d'alliances successives. Celles-ci constituent la préface au rassemblement «fédéral» entre les mains des ducs de Bourgogne et singulièrement de Philippe le Bon (1419-1467). Et, comme pour renforcer la solidité des liens établis par la dynastie, peintres, sculpteurs, architectes, musiciens et écrivains de ce «Siècle d'Or» donnèrent à l'Europe culturelle le témoignage d'une mentalité commune et d'une civilisation originale. Qu'il nous suffise de citer les frères van Eyck, Rogier van der Weyden, Hans Memling.

Par le mariage de Marie de Bourgogne, fille unique de Charles le Téméraire, mort à Nancy en 1477, avec Maximilien d'Autriche, les «bas pays au bord de la mer» passèrent à des souverains de la Maison de Habsbourg. Il en résulta une européanisation qui, à ses débuts, fut d'un éclat exceptionnel. Sous le règne de Charles Quint (1500-1555) qui libéra totalement les XVII Provinces de l'emprise étrangère, le pays continua d'être le plus riche d'Occident. Hanté par des milliers de marchands et de banquiers européens, mais aussi des dizaines d'artistes et de savants, Anvers mérita incontestablement le titre de Métropole de l'Occident.

Mais l'attachement viscéral aux libertés — les religieuses et les autres — entraîna la révolte contre l'autoritarisme et l'intolérance de Philippe II. Il en résulta le déchirement des XVII Provinces en deux entités: les Provinces Unies calvinistes du nord (les futurs Pays-Bas) et les Pays-Bas méridionaux catholiques (la future Belgique et le Luxembourg). Se succédèrent alors des souverains étrangers et des occupants. Mais ces siècles de guerres et d'humiliations, jalonnés de période de reprise économique, resserrèrent les liens entre les provinces méridionales. Ils ne tarirent pas la source de création artistique et littéraire. Brueghel et Patenier au XVIe siècle, Rubens, van Dyck et Jordaens au XVIIe, le prince de Ligne et Grétry au XVIIIe en témoignent à suffisance.

Bien qu'involontaire en ses origines, la rupture des XVII Provinces provoqua la formation progressive, au nord et au sud, de mentalités différentes, de divergences religieuses et de rivalités commerciales. Aussi bien, au Congrès de Vienne de 1814-1815, les puissances victorieuses de Napoléon se trompèrent lourdement en décidant que les Belges et les Hollandais formeraient le Royaume-Uni des Pays-Bas. Ce mariage imposé comportait de grands avantages économiques mais il ne résista pas à des incompatibilités d'humeur, jointes aux maladresses du roi Guillaume Ier. Quinze années après sa conclusion, ce fut la révolution victorieuse de 1830. Les Belges touchaient enfin au but de nombreux siècles de lutte. Ils s'organisèrent en un Etat indépendant et choisirent le régime de la monarchie constitutionnelle et parlementaire.

Les premiers historiens belges ne manquèrent pas de réagir contre ceux qui, à l'étranger, présentaient la neuve Belgique comme un Etat conventionnel. Jean-Baptiste Nothomb, le plus talentueux d'entre eux — homme politique et diplomate, par ailleurs — écrivit en 1833, dans son Essai historique et politique sur la Révolution belge: «Si, depuis plus de deux siècles, l'histoire nous montre les Belges constamment à la suite d'un autre peuple, cette condition n'a jamais été de leur choix: ce qui le démontre, c'est qu'à travers toutes les dominations étrangères, ils sont restés eux-mêmes. L'Espagne n'a pas réussi à les rendre espagnols, l'Autriche, autrichiens, la Hollande, hollandais. Au XVIe siècle, ils ont fait une révolution contre l'Espagne, au XVIIIe contre l'Autriche, au XIXe contre la Hollande. Si, comme on le prétend, ce peuple ne renferme pas en lui-même aucun principe d'existence, comment se fait-il qu'il ait résisté à tant de catastrophes? S'il n'a pas de nationalité propre, pourquoi n'a-t-il pas accepté de nationalité étrangère? Il n'a même pas voulu de la France qui ne l'a possédée vingt ans que par la conquête. Il s'est tu devant Napoléon comme il s'était tu devant Louis XIV; il les a laissé passer. On a déployé sous ses yeux tous les drapeaux; il y en avait de brillants, il y en avait sur lesquels étaient inscrits des siècles de gloire; il n'a adopté aucun des drapeaux. Il s'en est fait un à lui-même. »

Elu premier roi des Belges par le Congrès national, Léopold de Saxe-Cobourg-Gotha (r. 1831-1865) ne se contenta pas d'asseoir solidement la position internationale du jeune Etat belge; « esprit manipulateur », comme disait Metternich, il fut l'arbitre de l'Europe de son temps.

Sous le règne de Léopold II, de 1865 à 1909, la Belgique se haussa au rang de quatrième puissance commerciale du monde. Estimant son sol trop étroit pour la débordante activité industrielle du pays, Léopold II lui donna le cœur de l'Afrique à défendre contre les marchands d'esclaves et à mettre en valeur. Le Congo fut colonie belge jusqu'en 1960, date à laquelle la Belgique lui donna spontanément l'indépendance.

Les deux guerres mondiales n'épargnèrent pas « le pays le plus exposé de la terre ». En 1914, sous le commandement du roi Albert, et en 1940 sous celui du roi Léopold III, l'armée belge fit son devoir, remplissant intégralement les obligations des traités internationaux.

Au lendemain de la Seconde Guerre mondiale, sous le règne du roi Baudouin (1951-1993), la Belgique s'est engagée — non sans difficultés ni heurts — dans un processus de fédéralisation qui assure désormais aux trois Communautés — flamande, française et allemande — et aux trois Régions — flamande, wallonne et de Bruxelles-Capitale — une large autonomie de gestion dans les matières que lui ont attribuées les réformes constitutionnelles. Elle a ainsi rompu avec la centralisation d'un Etat unitaire, héritée de l'occupation française et ne correspondant plus aux réalités d'un Etat pluriculturel. Selon les mots du roi Baudouin dans son message-testament du 21 juillet 1993, le bon fonctionnement de ces institutions relativement complexes postule un « civisme fédéral ». Le roi Albert II, devenu sixième roi des Belges, en a rappelé la nécessité dans son discours inaugural du 9 août 1993.

En même temps qu'il se donnait un paysage constitutionnel nouveau, le pays s'est efforcé de jouer un rôle international actif. Partie prenante de l'union économique Benelux, membre fondateur de l'Organisation des Nations-Unies et des autres institutions spécialisées du système de l'O.N.U., il est intégré dans l'Organisation du Traité de l'Atlantique Nord dont il abrite le siège depuis la démission de la France. De la Communauté européenne du Charbon et de l'Acier, la Belgique fut l'un des six membres fondateurs; elle le fut aussi de la C.E.E. à Rome en 1957. Tout naturellement, Bruxelles réalise sa vocation de capitale de fait, sinon de droit, de l'Europe de l'après-Maastricht.

andere buitenlandse mogendheid geleefd, maar niet uit eigen wil. Dit blijkt uit het feit dat ze alle buitenlandse overheersing ten spijt hun eigen aard hebben bewaard. Spanje is er niet in geslaagd ze te verspaansen, noch Oostenrijk om er Oostenrijkers, noch Holland om er Hollanders van te maken. In de 16de eeuw kwamen de Belgen in opstand tegen Spanje, in de 18de tegen Oostenrijk, in de 19de tegen Holland. Als het waar was, zoals sommigen beweren, dat dit volk geen eigen nationaal bewustzijn heeft, hoe is het die vele tegenslagen te boven kunnen komen? Als het geen eigen volkskarakter, geen eigen nationaliteitsgevoel heeft, waarom heeft het zich dan niet door een vreemde nationaliteit laten inlijven? Twintig jaar nadat het voor de Franse militaire overmacht was gezwicht, heeft het zelfs Frankrijk een blauwtje laten lopen. Napoleon kwam zoals Lodewijk XIV was gekomen: België ploegde voort. Het kon zich verlustigen in het zien voorbijtrekken van alle vlaggen, hoe roemrijk en met eeuwenoude luister omhangen ze ook mochten wezen, het schiep zijn eigen vlag in plaats van die van een ander land tot de zijne te maken. »

Leopold van Saksen-Coburg-Gotha, de eerste koning der Belgen (1831-1865), beperkte er zich niet toe de jonge Staat op een stevige internationale grondslag te vestigen. Deze « vingervaardige geest », zoals Metternich hem noemde, was een van de scheidsrechters van het Europa van die tijd.

Leopold II (1865-1909) verhief zijn land tot de vierde belangrijkste economische macht ter wereld. Hij vond het land te klein voor de onstuimige industriële bedrijvigheid van zijn bevolking. Daarom belastte hij ze met de bescherming van het hart van Afrika tegen de slavenhandel en met de ontginning ervan. Belgisch Kongo bleef een kolonie tot in 1960, toen België het gebied spontaan zijn onafhankelijkheid verleende.

« Het meest kwetsbare land ter wereld » werd door de twee wereldoorlogen geteisterd. In 1914 deed het Belgisch leger onder de leiding van koning Albert, in 1940 onder het bevel van Leopold III soms veel meer dan zijn plicht en kwam het alle internationale verplichtingen na.

Na de Tweede Wereldoorlog ging België onder de regering van koning Boudewijn (1951-1993) geleidelijk aan en soms met horten en stoten over tot een federaal staatsbestel. De drie Gemeenschappen — de Vlaamse, de Frans- en de Duitstalige — en de drie Gewesten — het Vlaamse, het Waalse en Brussel-hoofdstad — hebben nu een ruim zelfbeschikkingsrecht wat betreft de materies waarvoor ze volgens de hervormde grondwet bevoegd zijn. De tijdens het Franse bewind ingevoerde, monolithische, sterk gecentraliseerde staatsstructuur heeft het veld geruimd voor een structuur die meer rekening houdt met de eigentijdse werkelijkheid en het pluralisme op cultureel vlak. Zoals koning Boudewijn naar aanleiding van de nationale feestdag op 21 juli 1993 in zijn politiek testament verklaarde, kunnen deze nieuwe, vrij ingewikkelde instellingen slechts goed werken, als de Belgen blijk geven van « federale burgerzin ». De nieuwe, zesde koning van het land Albert II heeft ter gelegenheid van zijn troonsbestijging op 9 augustus 1993 eveneens daarop gewezen.

Terwijl de grondwettelijke structuur van het land dusdanig werd vernieuwd, nam België actief deel aan de internationale ontwikkeling. Het trad toe tot de economische unie van de Benelux, werd medestichter van de Verenigde Naties en de daarvan afhangende gespecialiseerde instellingen en werd bovendien lid van de NAVO, die na de terugtrekking van Frankrijk haar hoofdzetel in België is komen vestigen. België is eveneens een van de zes oprichters van de Europese Gemeenschap voor Kolen en Staal en ondertekende het Verdrag van Rome al in 1957. Dit verklaart waarom Brussel nu, weze het ook nog niet rechtens, toch feitelijk de hoofdstad van de Europese Gemeenschap is, die nog steeds, o.a. ook met het Verdrag van Maastricht, op een vollediger eenwording van Europa aanstuurt.

In Belgium the roads rise rapidly towards the forest and descend as rapidly towards the sea, for the distances are very short. Hardly has one left the coast than one is in the heart of Flanders where the villages straggle into one another to form little towns. South of the Sambre and Meuse line a series of sandstone ridges, as parallel as a furrowed brow, announce the wooded crests of the Condroz. In Famenne rivers disappear into rocky clefts, plunging into underground watercourses, only to reappear elsewhere as new rivers. The shield of the Ardennes lifts towards Germany where it continues as the Eifel. It rises in successive waves to reach more than 600 meters in some places. The rivers are deflected by these rocky outcrops and meander back and forth in the depths of the forest. The Antier forest marks the end of the Ardennes, protecting the Gaume from the north and north-west winds. We are now on the far side of Belgium where there are even vineyards. And yet, only some 300 kilometers separate Ostend and Virton.

Two great navigable rivers — the Scheldt and the Meuse — cross Belgium from south to north. During two millenia they have served to unite the people dwelling on their banks, to provide a social focus and to disseminate broad cultural currents.

The Scheldt is, above all, the river of the sea and it is on its banks, at Tournai, that the Merovingian dynasty arose and consolidated before turning towards Paris. During the Romanesque period the movement was reversed, the most important artistic influences coming from France. The most imposing religious architecture of the Scaldian region, related to the Norman style, was built at Tournai and Soignies.

The style of Tournai cathedral took root rapidly and branches were developed in the Flemish plain and in Brabant, particularly at Ghent and Bruges. This Scaldian style continued to dominate during the Gothic period, acquiring an even more marked originality due to Mosan influences.

And of course the pre-eminence of Antwerp as a port is due to the Scheldt.

The Meuse is, for the greater part, the river of the forest. In its basin rose the family of the Pepins which later seized power from the Merovingians as the Carolingian dynasty. Christianity spread as far as the Elbe, resulting in Germanic influences. Prince-Bishop Notker, the true architect of the grandeur of Liège, was a Swabian appointed by Emperor Otto I. Thus it is not by chance that the church of Saint Jean is built on an octogonal plan similar to the Palatine chapel in Aachen. Over the centuries there were intense cultural exchanges between the regions of the Rhine and the Meuse.

A very important factor, dating from antiquity, was the close relationship between the basins of the Meuse and the Scheldt due to the road running from east to west, linking Cologne to Boulogne. It was later extended to Bruges which imported the wool of Spain and England, as well as spices and goods from the Orient, and exported the local cloth.

The population density of Belgium — 327 inhabitants per square kilometer — makes it a highly urbanized country. Each town has its own personality, formed by its local history and traditional rivalries, but the largest ones have in common a past marked by the desire for liberty and independence.

These communal liberties and exemptions were often extended in the provincial charters, notably the one that Duchess Jeanne of Brabant and her husband Wenceslas of Luxemburg were forced to grant at their Joyeuse Entrée of January 3, 1356.

The geographic position of the Belgian principalities, the economic development of their towns and other common interests made successive alliances necessary. These were the prelude to the « federal » system of the Valois Dukes of Burgundy, particularly under Philip the Good (1419-67) the « Founder of Belgium ». As if to emphasize the strength of the

Wer in Belgien bergauf fährt, befindet sich nach kurzer Zeit in einem Wald; fährt er talwärts, dann steht er auf einmal vor der Nordsee. Die Entfernungen sind kurz. Kaum hat man das Küstengebiet verlassen, ist man schon mitten in Flandern, wo die nahe beieinander liegenden Dörfer kleine Städte bilden. Südlich des Beckens von Samber und Maas kündigt eine Reihe parallel verlaufender, runzelartiger Sandsteinschichten in der Landschaft die bewaldeten Höhen des Condroz an. In der Gegend der Famenne verschwinden die Bäche im gespaltenen Felsgestein, tosen in « Schalltrichtern » und quellen in anderen Talschluchten wieder hervor. Schon sind wir in der Nähe der Ardennen. Wie ein nach Deutschland hin gewölbter Schild gehen sie allmählich in die Eifel über und erreichen in ihrem stufenmäßigen Aufstieg stellenweise eine Höhe von mehr als 600 m über dem Meeresspiegel. Die durch Gebirgsrücken aufgehaltenen Bäche schlängeln sich in bizarren Windungen durch das alles beherrschende Gebüsch. Der Wald von Anlier ist der letzte Ausläufer der Ardennen. Er überragt die Gaumer Gegend und schirmt sie gegen Nord- und Nordwestwind ab. Wieder sind wir an der Grenze Belgiens. Hier liegt Sonne über Flächen, die mit Weinreben bepflanzt sind. Doch Ostende und Virton sind kaum 300 km voneinander entfernt.

Zwei große, schiffbare Flüsse, die Schelde und die Maas, fließen von Süden nach Norden durch das Land. Schon zwei Jahrtausende lang fungieren sie als Bindeglieder zwischen den Anwohnern, schufen Gemeinsamkeiten und ermöglichten großen kulturellen Strömungen ihr weiteres Vordringen.

Die Schelde ist das Paradebeispiel eines seewärtigen Flusses. An ihren Ufern sammelten die Merowinger ihre Kräfte, bevor sie nach Paris vorstießen. In der Blütezeit der romanischen Kunst vollzog sich der Austausch in umgekehrter Richtung und kam der Einfluß vor allem aus Frankreich. In Tournai und Soignies entstanden die zum großen Teil an Leitbildern aus der Normandie orientierten religiösen Bauten, die für das Stromgebiet der Schelde maßgebend wurden. Sehr bald erhoben sich auch in der flandrischen Ebene und in Brabant, hauptsächlich in Gent und Brügge, kirchliche Bauten in Nachfolge der Kathedrale von Tournai. Typische Baumerkmale kennzeichnen ebenfalls die gotischen Kirchen des Scheldebeckens, wobei die eigenartigen Züge die größere Aufgeschlossenheit gegenüber Einwirkungen aus dem Maasland nicht im geringsten beeinträchtigten. Hinzu kommt natürlich auch, daß Antwerpen der Schelde seine Entwicklung als Hafenstadt verdankt.

Die Maas ist über weite Strecken hin waldumsäumt. In ihrem Stromgebiet bauten die Karolinger ihre Vormachtstellung aus, während sie an die Stelle der Merowinger traten und unter Karl dem Großen die Grenzen der Christenheit bis an die Ufer der Elbe verschoben. Daraus ergab sich in der Folgezeit ein Überwiegen germanischer Einflüsse. Notker, der eigentliche Gründer und große Fürstbischof Lüttichs, war ein von Otto I. ernannter Schwabe. Es braucht uns also nicht wunderzunehmen, daß z. B. die Johanneskirche nach dem Grundriß des achteckigen Aachener Doms gebaut wurde. Dies war der Anfang eines jahrhundertelangen kulturellen Austauschs innnerhalb des Rhein-Maas-Gebiets.

Die wechselseitigen Beziehungen zwischen Schelde und Maas wurden seit dem Altertum entscheidend durch die in ostwestlicher Richtung verlaufende Heeresstraße gefördert, die Köln mit Boulogne, später mit Brügge verband. So wurde Brügge zum Handelszentrum, in dem Kaufleute die Erzeugnisse der eingesessenen Leinweber gegen Wolle aus England und Spanien oder Gewürze und andere Waren aus dem Orient austauschten.

Die durch die Bevölkerungsdichte — 327 Einwohner pro Quadratkilometer — mitbedingte Verstädterung hat Belgien mehr als jedes andere Land geprägt. Jede Stadt hat ihre eigenen, auf ihre Enstehungsgeschichte oder vergangene Rivalitätskämpfe zurückzuführenden Wesensmerkmale, doch dasselbe Ringen um Freiheit und Selbstverwaltungsrecht verbindet seit *langem vor allem die größeren Städte miteinander.*

Die geographische Lage der belgischen Herzogtümer und Grafschaften, das wirtschaftliche Wachstum der Städte sowie Interessengemeinschaft führten unvermeidlich zu einander ablösenden Bündnissen, sozusagen einem Vorspiel zum «föderalen» Zusammenschluß unter den Herzögen von Burgund (aus dem Hause Valois), ganz besonders unter dem «Conditor Belgii» (= Gründer Belgiens) Philipp dem Guten (1419-1467). Wie um die Festigkeit dieser dynastisch gestifteten Bande unter Beweis zu stellen, beschenkten und bereicherten die Maler, Bildhauer, Musiker und Schriftsteller dieses «goldenen Jahrhunderts» Europa mit Werken, in denen eine gemeinsame Gesinnung und eine eigenartige, bodenständige Kultur zum Ausdruck gelangt. Es genüge, die Namen der Gebrüder Van Eyck, Rogier van der Weydens, Hans Memlings zu nennen.

Nachdem Maria von Burgund, die einzige Tochter des 1477 vor Nancy verschollenen Herzogs Karls des Kühnen, Maximilian von Österreich geheiratet hatte, kamen die Habsburger in den Niederlanden zum Zuge. Die Folge war eine Europäisierung, die zuerst glanzvoll zu werden versprach. Unter Karl V., der jede fremde Einmischung in den XVII Provinzen unterbunden hatte, blieb das Land das reichste Westeuropas.Antwerpen war eine Stadt, in der nicht nur Tausende Kaufleute und Bankiers, sondern auch Künstler und Gelehrte sich trafen und wurde nicht zu Unrecht als die Metropole der westlichen Welt bezeichnet.

Das beharrliche Bestehen auf vermeintlichen Rechten — u.a. dem Recht auf Glaubensfreiheit — führte zum Aufstand gegen die Herrschsucht und die Unduldsamkeit Philipps II. und zur Spaltung der XVII Provinzen in zwei Teile: die kalvinistischen Vereinigten Provinzen im Norden (die heutigen Niederlande) und die katholischen Niederlande im Süden (heute Belgien und Luxemburg). In den südlichen Niederlanden lösten danach ausländische Herrscher und Besatzungstruppen einander ab, doch während dieser von kurzen Perioden wirtschaftlichen Auflebens unterbrochenen Jahrhunderte der Kriegswirren und Erniedrigung wuchsen die verschiedenen Landesteile auch enger zusammen. Die Quellen künstlerischer Bewältigung und literarischen Schaffens hörten übrigens auch nicht auf zu fließen: Brueghel und Patinir im 16., Rubens, Van Dijck und Jordaens im 17., der Fürst de Ligne und Grétry im 18.Jh. beweisen das zur Genüge.

Die anfangs eigentlich ungewollte Spaltung der XVII Provinzen zog im Laufe der Zeiten eine Auseinanderentwicklung der Denkart im Norden und im Süden nach sich, die durch religiöse Unterschiede und wirtschaftliche Interessenkollisionen geschürt wurde. Daß dies von den Besiegern Napoleons nicht zur Kenntnis genommen worden war, führte auf dem Wiener Kongreß (1814-1815) zu der Fehlentscheidung, Belgier und Holländer im Königreich der Niederlande vereinen zu wollen. Diese durch Zwang zustande gekommene Heirat bot zwar wirtschaftliche Vorteile, doch sie scheiterte schließlich an der Unverträglichkeit der Partner und am Mangel an Geschicklichkeit Wilhelms I. Fünfzehn Jahre später ließ die siegreiche Revolution von 1830 die Belgier nach jahrhundertelangem Warten das Ziel ihrer Träume erreichen. Sie bildeten einen unabhängigen Staat und wählten die verfassungsmäßige, parlementarische Monarchie als Staatsform.

Die ersten belgischen Historiker versäumten kaum eine Gelegenheit, denen ins Gewissen zu reden, die den neuen Staat im Ausland als ein rein vertragsmäßiges Gebilde abtaten. J.-B. Nothomb, einer der begabtesten — er war zugleich Politiker und Diplomat —, schrieb 1833 in seinem «Historischen und politischen Essay über die belgische Revolution»: «Wenn sich Belgien seit zwei Jahrhunderten ununterbrochen in der Obhut anderer Völker befunden hat, geschah dies, weil es keine andere Wahl hatte. Die Tatsache, daß es unter den sich ablösenden ausländischen Mächten seinem eigenen Volkscharakter treu geblieben ist, beweist das. Es ist weder den Spaniern gelungen, die Belgier zu hispanisieren, noch den Österreichern, sie in Österreicher, noch den Holländern, sie in Holländer zu verwandeln. Im 16. Jh. erhoben sie sich gegen Spanien, im 18.

union established by the dynasty, a «Golden Age» of painters, sculptors, architects, musicians and writers presented Europe with a distinctive culture demonstrating a common mentality and a unique civilization : the van Eyck brothers, Hans Memling, Roger van der Weyden.

When Mary of Burgundy, the only child of Charles the Rash who died at Nancy in 1477, married Maximilian of Austria, the «low countries on the edge of the sea» passed to the House of Hapsburg. The result was a Europeanization which, at its beginning, was of exceptional brilliance. Under Charles the Fifth (1500-55) which freed the Seventeen Provinces completely from foreign domination, the country was the wealthiest of the Occident. Not only thousands of merchants and European bankers, but dozens of artists, scholars and scientists made Antwerp the acknowledged Metropolis of the West.

However, this deep-seated attachment to liberty, both religious and civil, led to the revolt against the autocratic and intolerant Philip II. As a result the Seventeen Provinces were torn asunder, forming the Calvinist United Provinces in the north — the future Holland, or Netherlands — and the Catholic Low Countries in the south, the future Belgium and Luxembourg. Thence succeeded a series of foreign rulers and occupants. However, these centuries of war and humiliation, mitigated occasionally by periods of economic recovery, strengthened the bonds between the southern provinces. Literary and artistic creativity was never stifled, as is seen by Breughel and Patenier in the 16th century, passing by Rubens, Van Dyck and Jordaens in the 17th, to the Prince de Ligne and Grétry in the 18th.

Although at the beginning the scission of the Seventeen Provinces was felt as a calamity in both the north and south, there gradually arose different mentalities, based on religious differences and commercial rivalries. Thus it was that after the defeat of Napoleon, the victorious powers at the Congress of Vienna (1814-15) were gravely mistaken when they decided that the Belgians and the Dutch would form a United Kingdom of the Low Countries. This forced marriage presented great economic advantages but could notwithstand personal animosities as well as the heavy-handedness of King William I. Fifteen years after the union came the successful revolution of 1830. The Belgians finally achieved their goal after centuries of struggle, organizing an independent state under a constitutional monarch and a Parliament.

The first Belgian historians reacted strongly to those foreign writers who considered the new Belgium as an artificial state. The most talented among these historians was the politician and diplomat Jean-Baptiste Nothomb who wrote in his *Historical and Political Essay on the Belgian Revolution* of 1883 « Even though more than two centuries of history have shown the Belgians constantly under the tutelage of another people, this has never been by their own choice. What can be demonstrated is that despite all this foreign domination, they have remained themwelves. Spain could not make them Spanish, nor Austria Austrian, nor Holland, Dutch. In the 16th century they revolted against Spain, in the 18th against Austria, in the 19th against Holland. If, as is claimed, this people does not have any real claim to exist, why did they withstand so many catastrophes ? If the Belgians do not have a true nationhood, why did they not accept a foreign one ? They even resisted the French who held them for twenty years by conquest. They endured under Napoleon as they had under Louis XIV. Flags were unfurled before them, many of them brilliant and glorious, but they adopted none of them. They made their own flag. »

Leopold of Saxe-Cobourg-Gotha (reigned 1831-65), elected the first King of the Belgians by the National Congress, was as Metternich said, «a master manipulator». He not only consolidated the international position of the young Belgian state but established himself as one of the arbiters of Europe at that time.

During the reign of Leopold II (1865-1909), Belgium rose to become the fourth commercial power in the world. Feeling that Belgium itself did not present enough scope for the abundant industrial energy of his citizens, he gave them the heart of Africa to develop and to defend against slavery. The Congo was Belgian until 1960 when it was granted freely its independence.

The two World Wars did not spare «the most vulnerable country in the world». In 1914, under the command of King Albert, and in 1940 under King Leopold III, the Belgian army did its duty, fulfiling international treaty obligations.

After the Second World War, under King Baudouin (1951-1993), Belgium began the difficult process of federalization which will henceforth ensure a greater autonomy to the three linguistic communities — Flemish, French and German — and the three regions — Flanders, Wallonia and Brussels Capital — in the domains specified by the constitutional reforms. The state has thus broken with the centralizing policies of a unitary state, a heritage of the French occupation which no longer corresponds to the realities of a multicultural state. The late King Baudouin, in his valedition on the occasion of the Festival of the Dynasty, July 21, 1993 said that to function properly these complex institutions postulated «federal public-spiritedness». King Albert II, the sixth King of the Belgians, also stated this necessity in his inaugural address of August 9, 1993.

At the same time the state has continued to play an active international role. Member of the Benelux economic union, founding member of the United Nations and other specialized bodies of the U.N., it is also part of the North Atlantic Treaty Organization and hosts its headquarters. Belgium was one of the founding members of the European Coal and Steel Community and also of the E.E.C. in Rome in 1957. Brussels continues its vocation as the *de facto*, if not titular, capital of post-Maastricht Europe.

gegen Österreich, im 19. gegen Holland. Wenn dieses Volk, wie behauptet wird, kein es begründendes Lebensprinzip in sich trägt, wie hat es dann so viele Mißgeschicke überstehen können? Falls es kein Nationalbewußtsein hat, warum hat es sich dann nicht in eine andere Nation eingegliedert? Es hat Frankreichs Anspruch zurückgewiesen, das es nur zwanzig Jahre zu besetzen vermochte. Vor Napoleon hat es sich in Schweigen gehüllt wie vor Ludwig XIV. und hat gewartet, bis sie vorbeigezogen waren. Alle Fahnen, gleißende und von jahrhundertealtem Ruhm umhüllte, hat man vor diesem Volk entrollt; es hat keiner zugejubelt, es hat sich seine eigene geschaffen.»

Nachdem ihn der nationale Kongreß zum König erwählt hatte, beschränkte sich Leopold von Sachsen-Koburg-Gotha (1831-1865) nicht darauf, die internationale Stellung des belgischen Staates zu festigen; sein «kombinierender Geist», wie Metternich sagte, machte ihn zum Schiedsrichter im damaligen Europa.

Unter der Regierung Leopolds II. (1865-1909) gelang es Belgien, bis zum vierten Platz in der Weltrangliste der Handelsmächte aufzusteigen. Da ihm das Land nicht groß genug schien, um den wirtschaftlichen Schaffensdrang seiner Bevölkerung zu befriedigen, erteilte er dieser den Auftrag, das Herz Afrikas gegen die Sklavenhändler zu verteidigen und dessen Bodenschätze nutzbar zu machen. Der Kongo blieb eine belgische Kolonie bis im Jahre 1960, als ihm Belgien aus freien Stücken die Unabhängigkeit verlieh.

Das «exponierteste Land der Welt» wurde von beiden Weltkriegen in Mitleidenschaft gezogen. 1914 nahm die belgische Wehrmacht unter Albert I, 1940 unter Leopold III ihre Pflicht auf sich und kam all ihren aus internationalen Verträgen hervorgehenden Verpflichtungen nach.

Nach dem 2. Weltkrieg vollzog das Land unter König Balduin (1951-1993) nicht ohne Reibungen und Schwierigkeiten den Übergang zu einer föderativen Regierungsform, die den drei Gemeinschaften — der flämischen, der französich- und der deutschsprachigen — sowie den drei Regionen — Flandern, der Wallonie und Brüssel-Hauptstadt — weitgehend die Selbstverwaltung der ihnen von der geänderten Verfassung zuerkannten Ressorts gewährt. Das von der französischen Besatzung herrührende Modell des zentralisierten Einheitsstaates wurde durch ein der Wirklichkeit und dem kulturellen Pluralismus des Staates besser angepaßtes ersetzt. Wie König Balduin am 21. Juli 1993 in seinem politischen Testament ausführte, sind diese neuen, oft komplexen Strukturen nur dann lebensfähig, wenn sie von «föderalem Staatsbewußtsein» getragen werden. Auf diesen Zusammenhang wies auch Albert II. am 9. August 1993 in seiner Antrittsrede als sechster König Belgiens hin.

Während die verfassungsmäßige Struktur Belgiens neue Formen annahm, spielte das Land auch außenpolitisch eine aktive Rolle. Es schloß sich mit den anderen Beneluxstaaten zu einer Wirtschaftsunion zusammen, wurde Mitbegründer der Vereinten Nationen sowie der von ihr abhängigen Hilfs- und Sonderorganisationen und Mitglied der NATO, deren Hauptquartier sich seit dem Ausscheiden Frankreichs in Belgien befindet. Es ist ferner eins der sechs Länder, die zusammen die Montanunion gründeten, und eins der Länder, die 1957 in Rom die Europäische Gemeinschaft ins Leben riefen. So ist Brüssel zur Zeit die faktische, zwar noch nicht die rechtlich anerkannte Hauptstadt dieser Europäischen Gemeinschaft, die mittels der Maastrichter Verträge auf dem Weg zur Einigung fortzuschreiten bestrebt ist.

La **Grand-Place de Bruxelles** occupe l'emplacement d'un marais asséché. Le marché de la ville s'y tenait dès le XIIᵉ siècle. Son importance ne cessa de grandir sur les plans politique et économique. Par surcroît, elle servait de cadre aux tournois et aux Joyeuses Entrées des souverains. La reconstruction de ses maisons, après le bombardement français de 1695, se fit dans un style italo-flamand qui, malgré l'exubérance décorative, respectait les anciennes structures gothiques. Reconstruite en style néo-gothique, la *Maison du Roi* (1873-1895) s'apparente à un pastiche du XVIᵉ siècle.

De **Grote Markt van Brussel** ontstand nadat het moeras er was drooggelegd. Reeds in de 12de eeuw werd er markt gehouden. Het plein speelde een steeds grotere rol op politiek en economisch vlak. Ter gelegenheid van toernooien en blijde inkomsten van vorsten schitterde het in alle pracht en praal. Na het bombardement door de Fransen in 1695 werden de huizen rond het plein in een Italiaans-Vlaamse stijl heropgebouwd die alle siervormen ten spijt de oude gotische bouwwijze indachtig bleef. Het veel later in neogotische bouwtrant gerestaureerde *Broodhuis* (1873-1895) lijkt op een pastiche van 16de-eeuwse gebouwen.

The **Grand-Place of Brussels** stands on what was formerly a marsh, long since dried up. From the 12th century on the city market was held there and the square grew rapidly in political and economic importance. It also served as the site of tournaments and the *Joyeuses Entrées* of the rulers. Following the French bombardment of 1695 the houses surrounding the square were rebuilt in an Italo-Flemish style which, despite the exuberant decoration, respected the old Gothic forms. The neo-Gothic *Maison du Roi* built much later between 1873 and 1895 is a pastiche of the old 16th century style.

Der **Marktplatz von Brüssel** konnte erst entstehen, nachdem der dort befindliche Sumpf trockengelegt worden war. Bereits im 12. Jh. wurde dort Markt abgehalten. Seitdem stieg die politische und wirtschaftliche Bedeutung des Platzes fortwährend. Er gab Turnieren und fröhlichen Einzügen von Fürsten den ihnen angemessenen Rahmen. Nach der Bombardierung durch die Franzosen 1695 wurden die Häuser in italienisch-flämischem Stil wieder aufgebaut, wobei trotz der üppigen Ausschmückung die alten gotischen Strukturen beibehalten wurden. Die in neogotischem Stil restaurierte, auch « Haus des Königs » genannte Brothalle (1873-1895) ist Bauten des 16. Jh. nachgebildet.

△

Voulant remplacer le beffroi, symbole des libertés communales, et couronner l'**hôtel de ville**, le Magistrat de Bruxelles fit appel, en 1449, à Jan van Ruysbroeck. En cinq ans, le plus habile architecte de Philippe le Bon éleva une véritable dentelle de pierre qui surgit du sol d'un seul jet de 90 mètres de hauteur. En 1695, bien qu'elle servît de point de mire aux canonniers du maréchal de Villeroi, la tour échappa par miracle au bombardement.

In 1449 deed de Magistraat van Brussel een beroep op Jan van Ruysbroeck om het belfort, symbool van de gemeentelijke vrijheden, te vervangen en het **stadhuis** te bekronen. De handigste architect van Filips de Goede bouwde in vijf jaar een waar kantwerk van steen dat uit één stuk uit de grond oprees tot een hoogte van negentig meter. Alhoewel de kanonniers van maarschalk de Villeroi in 1695 hun batterijen op de toren richtten, ontsnapte deze als bij wonder aan het bombardement.

◁

When it was decided to replace the belfry, the symbol of municipal freedom, and to build a tower over the **Town Hall**, in 1449, the Mayor of Brussels called in Jan van Ruysbroeck. In five years, Philip the Good's ablest architect built an edifice of stone lacework, rising to a height of almost 300 feet. Although Marshal de Villeroi's gunners used it as their target in 1695, the tower had a miraculous escape.

Um den Bergfried, das Sinnbild der städtischen Freiheit, zu ersetzen und das **Rathaus** zu krönen, wandte sich der Brüsseler Magistrat 1449 an Jan van Ruysbroeck. In fünf Jahren errichtete der geschickteste Baumeister Herzog Philipps des Guten ein regelrechtes Spitzenwerk aus Stein, das sich in einem einzigen Wurf vom Bodem bis zur Höhe von neunzig Metern emporschwingt. Obwohl er den Kanonieren des Marschalls de Villeroi 1695 als Zielpunkt diente, entging der Turm wie durch ein Wunder den Schüssen.

△

Beaucoup de bureaux de l'hôtel de ville de Bruxelles s'apparentent à d'authentiques salles de musée. Les murs du **cabinet du bourgmestre**, de style Louis XIV, sont ornés d'une double rangée de tableaux. Le niveau supérieur représente les monuments anciens de la capitale, peints par François Stroobant de 1866 à 1877. L'inférieur groupe d'évocatrices vues cavalières de Bruxelles, exécutées par le peintre Cardon (XIXᵉ siècle) d'après le célèbre plan de M. de Tailly datant de 1639.

Special permission is required to visit many of the offices in the Brussels town hall which are, in themselves, museums. The **office of the Mayor**, decorated in the style of Louis XIV, has a double row of paintings hung on the walls. The pictures of the upper row painted by François Stroobant between 1866 and 1877 portray old monuments of the capital. The lower row, painted by Cardon the 19th century, depicts plunging views of Brussels, based on the famous drawings by de Tailly, dating from 1639.

Heel wat zalen van het stadhuis van Brussel stad lijken op echte museumzalen. De muren van de **burgemeesterkamer** hebben een wandbekleding in Lodewijk-XIV-stijl en zijn met twee reeksen boven elkaar hangende schilderijen verfraaid. De bovenste rij bestaat uit schilderijen die François Stroobant tussen 1866 en 1877 van Brusselse gebouwen en monumenten heeft gemaakt; de onderste bevat een reeks evocatieve schilderijen van Brussel in perspectief, in de 19de eeuw door Cardon geschilderd, die zich daarbij door de beroemde plattegrond van M. de Tailly (1639) liet inspireren.

Die Säle des Brüsseler Rathauses gleichen wirklichen Ausstellungsräumen in Museen. Die **Amtsstube des Bürgermeisters** ist im Louis XIV-Stil gestaltet, und an den Wänden hängen Gemälde in doppelter Anordnung übereinander. Die obere Reihe zeigt von 1866 bis 1877 von François Stroobant gemalte Darstellungen von Brüsseler Denkmälern, die untere besteht aus perspektivischen Zeichnungen, die der Maler Cardon (19. Jh.) herstellte, indem er vom berühmten Stadtplan Brüssels von M. de Tailly (1639) ausgehend Bilder der Stadt entwarf.

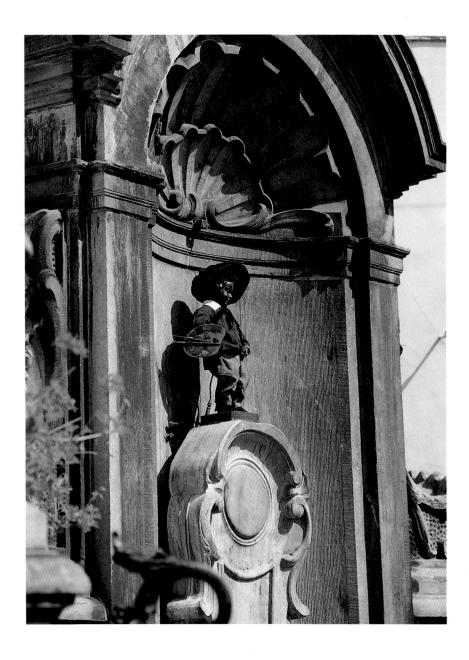

◁

Succédant au marché aux poissons encore actif au XVIe siècle, le **marché aux herbes** donna son nom à la rue qui constitue une section de l'ancienne chaussée descendant du Coudenberg vers la Grand-Place. Aux XVIIe et XVIIIe siècles, ses nombreux magasins de luxe étaient fréquentés par la clientèle riche de la capitale.

De nog in de 16de eeuw druk bezochte vismarkt werd later door een **grasmarkt** vervangen, hetgeen de huidige naam van dit gedeelte van de straat verklaart, die de Coudenberg met de Grote Markt verbindt. In de 17de en 18de eeuw waren hier vooral luxezaken voor de welgestelde burgers.

Replacing the fish market which was still active in the 16th century, the **herb market** gave its name to the street forming part of the old road descending from the Coudenberg to the Grand-Place. In the 17th and 18th centuries its many luxury shops were patronized by the carriage trade of the capital.

Nachdem der im 16. Jh. noch dort florierende Fischmarkt einem **Grasmarkt** das Feld überlassen hatte, erhielt dieser Teil der Straße, die den Coudenberg mit dem Marktplatz verband, seinen heutigen Namen. Im 17. und 18. Jh. befanden sich da vor allem teure Geschäfte für die vornehme Kundschaft.

△

Les Bruxellois sont très attachés au **Manneken-Pis** que Jérôme Duquesnoy sculpta en 1619. Ils considèrent cette statuette de bronze — elle mesure à peine 60 cm! — comme un talisman. La garde-robe complète du « plus ancien citoyen de Bruxelles » — quelque 265 costumes — est conservée dans une salle de la *Maison du Roi*.

De Brusselaars houden bijzonder veel van **Manneken Pis**, die in 1619 door Hiëronymus Duquesnoy werd gebeeldhouwd. Ze koesteren dit bronzen beeldje van amper 60 cm hoogte als een talisman. De kleerkast van de « oudste burger van Brussel » wordt bewaard in een der zalen van het *Broodhuis*. Zij bevat 265 klederdrachten.

The natives of Brussels are very fond of their **Manneken-Pis** sculpted by Jerome Duquesnoy in 1619. The statue is only 60 cm high but is a mascot for the people of Brussels. The wardrobe of this « oldest of Brussels' citizens », consisting of some 265 costumes, is kept in one of the halls of the *King's House*.

Die Einwohner Brüssels haben dem 1619 von Jérôme Duquesnoy gegossenen **Manneken-Pis** ihr Herz verpfändet. Für sie ist diese kleine, kaum 60 cm hohe Bronzestatue ein Talisman. Die vollständige Garderobe des « kleinsten Bürgers von Brüssel », umfaßt nicht weniger als 265 Trachten, die in einem Saal des *Hauses des Königs* aufbewahrt werden.

◁

Aux numéros 18-20 de la rue de la Bourse, le décor néo-Renaissance de la **taverne « Cirio »**, œuvre de H. Coosemans, est remarquablement conservé. Il date de 1909, en dépit du millésime 1886 inscrit sur le comptoir en bois.

H. Coosemans ontwierp de uitstekend bewaard gebleven neorenaissancistische interieursverzorging van de **taveerne « Cirio »**, Beursstraat 18-20. Ze dateert van 1909 niettegenstaande het jaartal 1886 dat op de tapkast prijkt.

The neo-Renaissance decor of the **tavern Cirio** at 18-20 rue de la Bourse, is the work of H. Coosemans, dating from 1909. The remarkably well-preserved interior is probably contemporary, despite the date of 1886 on the wooden counter.

Die sehr gut erhaltene Innenausstattung des **Wirtshauses « Cirio »**, Rue de la Bourse 18-20, im Neurenaissancestil ist ein Werk von H. Coosemans. Obschon auf dem Tresen die Jahreszahl 1886 steht, entstand sie 1909.

▷

Dans l'**îlot sacré**, « commune libre » qui a son pittoresque bourgmestre et même des échevins officieux, il fait bon flâner par les rues et galeries réservées aux piétons. La rue des Bouchers fleure la cuisine de toutes origines — y compris le plat national de moules et frites.

Het **îlot sacré** is een « vrije gemeente » met een vrijgekozen burgemeester en zelfs officieuze schepenen. Het is ontspannend er te slenteren door de verkeersvrije straten en galerijen. De Beenhouwersstraat geurt naar gerechten uit alle windstreken, maar centraal staat de nationale schotel : mosselen en frieten.

In the **sacred islet**, a picturesque « free borough » in the heart of Brussels, with its own unofficial Burgomaster and Aldermen, people like to saunter through the arcades and pedestrian precincts. In the *rue des Bouchers*, the cooking smells are truly cosmopolitan, but you can also detect the aroma of the Belgian national dish of mussels with chips.

Es ist angenehm, im **Ilot Sacré** (Heilige Insel), einer « freien Kommune » mit einem hochdekorierten, ehrenamtlichen Bürgermeister, ja sogar mit halbamtlichen Schöffen, auf den Straßen und in den Galerien der Fußgängerzone umherzubummeln. In der *Rue des Bouchers* (Metzgerstraße) treiben die Dünste von Gerichten aus aller Herren Länder dem Besucher entgegen, einschließlich derer von Muscheln und Pommes frites, dem Nationalgericht der Belgier.

Au pied du palais d'Egmont, le **Petit Sablon** apparaît comme une oasis de calme dans la ville. Sous les marronniers, les tilleuls et les acacias, la statue des comtes d'Egmont et de Hornes symbolise la lutte contre le gouvernement arbitraire de Philippe II.

Voor het Egmontpaleis ligt, als een oasis van rust in de stad, de **Kleine Zavel**. Omringd door wilde kastanjes, door lindebomen en acacia's, staan de beelden van de graven van Egmont en Hoorn als symbolen van de strijd tegen het despotisch bewind van Filips II.

At the foot of the Egmont Palace, the **Petit Sablon** square is an oasis of peace within the city. Under the chestnut, linden and acacia trees, the statue of Counts Egmont and Hornes symbolises the struggle against the authoritarian government of Philip II.

Am Fuß des *Palais d'Egmont* erscheint der Garten des **Petit Sablon** wie eine ruhige Oase in der Stadt. Unter den Kastanienbäumen, den Linden und den Akazien versinnbildlicht das Denkmal von Egmont und von Hornes den Kampf gegen die Willkürherrschaft Philipps II.

△

Le voûtement de la Senne, inauguré en 1871, modifia de fond en comble le visage du centre de Bruxelles. Aux ruelles tortueuses succédèrent de larges boulevards bordés d'immeubles cossus. **Place De Brouckère**, dans l'axe du boulevard Anspach, l'ancien hôtel Continental a été conçu, en 1874, par l'architecte E. Carpentier. Dans le même style éclectique, l'immeuble aujourd'hui occupé par la *Banco Central* est couronné par un groupe où le sculpteur J. de Haen a évoqué le Progrès triomphant entre la Paix et l'Abondance.

Door de voltooiing van de overwelving van de Zenne in 1871 kreeg het centrum van Brussel een heel andere aanblik. De kromme straatjes werden door brede lanen vervangen met deftige gebouwen erlangs. Het vroegere hotel Continental op het in het verlengde van de Anspachlaan gelegen **De Brouckèreplein** werd in 1874 door E. Carpentier ontworpen. Het gebouw waarin de *Banco Central* thans is gevestigd, is eveneens in eclectische stijl gebouwd. De gevel is met drie beeldhouwwerken — de zegegierende Vooruitgang tussen de Vrede en de Overvloed — van J. de Haen bekroond.

The vaulting of the Senne river which began in 1871 changed completely the appearance of central Brussels. Twisting alleys were replaced by wide boulevards lined with imposing buildings. At **Place De Brouckère**, in the axis of the Boulevard Anspach, stands the old Continental Hotel, designed by the architect E. Carpentier in 1874. The building now occupied by the *Banco Central*, in a similarly eclectic style, is crowned by a group sculpted by J. de Haen representing a triumphant Progress between Peace and Abundance.

Die 1871 abgeschlossene Überwölbung der Senne in Brüssel hatte die Innenstadt grundlegend verändert. Die sich windenden Gäßchen mußten breiten Straßen und protzigen Gebäuden weichen. Das frühere Hotel Continental an der **Place De Brouckère**, in etwa der Verlängerung des Boulevard Anspach, wurde 1874 von E. Carpentier entworfen. Das heute der *Banco Central* gehörende Gebäude ist ebenfalls in eklektischem Stil gebaut. Oben thront der Fortschritt zwischen der Göttin des Friedens und der Darstellung des Überflusses, ein Werk des Bildhauers J. de Haen.

▷

Sur la côte sablonneuse jadis occupée par un oratoire de style roman, la construction d'une basilique nouvelle fut entreprise vers 1226. Elle se poursuivit jusqu'à la fin du XVe siècle. La robuste sobriété du gothique brabançon triomphe dans les tours jumelles de la **cathédrale Saint-Michel**.

Op de zanderige helling waarop een Romaanse kapel had gestaan, werd in 1226 met de bouw van een nieuwe basiliek aangevangen. Het werk zou duren tot het einde van de 15de eeuw. Van de gedegen soberheid der Brabantse gotiek zijn beide torens van de **St-Michielskathedraal** een zuiver voorbeeld.

Towards the year 1226 work began on a new basilica, on the sandy slope where a Romanesque oratory used to stand. Work on the new building continued until the end of the 15th century. The twin towers of the **Cathedral of St. Michael** personify the sturdy sobriety of the Brabant Gothic style.

Der Bau der Kathedrale auf dem sandigen Abhang, auf dem früher ein Oratorium in romanischem Stil gestanden hatte, wurde rund 1226 in Angriff genommen. Er zog sich bis zum Ende des 15. Jh. hinaus. Die robuste Schmucklosigkeit des brabantischen gotischen Stils triumphiert in den Zwillingstürmen der **St. Michaelskathedrale**.

◁

La salle des séances du **Sénat**, œuvre de l'architecte Suys, date de 1849. Le peintre tournaisien Louis Gallait décora les murs de l'hémicycle d'une galerie de portraits de ceux qui ont contribué à la formation de la Belgique, depuis Pépin de Herstal et Charlemagne jusqu'à l'impératrice Marie-Thérèse.

The **Senate** chamber designed by the architect Suys dates from 1849. Louis Gallait, an artist from Tournai, decorated the walls of the hemicycle with a portrait gallery of those who contributed to the formation of Belgium, from Pepin of Herstal and Charlemagne to Empress Maria Theresa.

De vergaderzaal van de **Senaat** werd in 1849 door architekt Suys ingericht. L. Gallait uit Doornik beschilderde de muren van de halfronde zaal met een reeks portretten van de stichters van België vanaf Pepijn van Herstal en Karel de Grote tot en met keizerin Maria-Theresia.

Der Plenarsaal des **Senats** wurde 1849 vom Architekten Suys gestaltet. L. Gallait schnückte die Wände des halbrunden Saals mit Porträts der Gründer Belgiens von Pipin von Herstal und Karl dem Großen bis zur Kaiserin Maria-Theresia.

△

La façade du **Palais de Charles de Lorraine** (1766) reprend, dans le style Louis XVI autrichien, les thèmes antiques avec une exquise élégance. Actuellement, il est au centre du quartier des arts groupant Palais des congrès, Musées royaux, Bibliothèque royale et Palais des Beaux-arts.

The facade of the **Palace of Charles of Lorraine** (1766) is an exquisite rendering of subjects from classical antiquity in the elegant Austrian style of 18th century architecture. Today, the building rises in the heart of the arts district which also comprises the Convention Center, the Royal Museums, the Royal Library and the Palace of Fine Arts.

Thema's uit de Oudheid worden elegant weergegeven in de vele basreliëfs en beelden van de gevel van het **Paleis van Karel van Lorreinen** in Oostenrijkse Lodewijk-XVI-stijl (1766). Het paleis vormt nu het hart van de kunstwijk, met verder nog het Congressenpaleis, de Koninklijke Musea, de Koninklijke Bibliotheek en het Paleis voor Schone Kunsten.

Die Fassade des im österreichischen Louis XVI-Stil erbauten **Palais Karls von Lothringen** (1766) zeigt antiken Themen nachempfundene Flachreliefs und Statuen von ausgesuchter Formschönheit. Heute befindet er sich inmitten des sogenannten « Kunstviertels », welches den Kongreß-palast, die Königlichen Museen, die Königliche Bibliothek und das Palais der Schönen Künste umfaßt.

△

Le **Palais royal** occupe l'emplacement de l'ancienne Cour de Bruxelles où résidèrent Philippe le Bon et Charles Quint. Guillaume Ier de Hollande confia à l'architecte Suys la construction d'un palais qui intégrait l'ancien hôtel du ministre plénipotentiaire de l'Empereur d'Autriche. Les travaux furent terminés en 1829, un an avant la révolution. Léopold II estimait que le Palais de Bruxelles tel qu'il était ne convenait pas aux réceptions ni au logement des hôtes de marque. Dès 1867, il entreprit des travaux d'agrandissement. Il chargea Balat d'établir les plans, notamment pour l'escalier d'honneur, la grande galerie, la salle du trône et la salle de marbre. Et, en 1904, l'architecte Maquet édifia une toute nouvelle façade en style Louis XVI avec, au fronton, un bas-relief de Thomas Vinçotte.

Het **Koninklijk Paleis** bevindt zich op de plaats van het vroegere Hof van Brussel, waar Filips de Goede en Keizer Karel verbleven. Willem I der Nederlanden gaf architekt Suys de opdracht een paleis te bouwen, waarin het vroegere herenhuis van de gevolmachtigde minister van de Oostenrijkse keizer zou opgenomen worden. In 1829, één jaar voor de revolutie, was het gebouw klaar. Leopold II vond het Brusselse Paleis niet zo erg geschikt voor recepties of het verblijf van prominente gasten. In 1867 begon hij met de vergroting van het gebouw. Hij gaf Balat opdracht plannen uit te werken, o.m. voor de eretrap, de grote galerij, de troonzaal en de marmeren zaal. In 1904 werd de nieuwe voorgevel in Lodewijk-XVI-stijl opgetrokken door architect Maquet, met in het fronton een basreliëf van Thomas Vinçotte.

◁

The **Royal Palace** rises on the site formerly occupied by the Court of Brussels, where Philip the Good and Emperor Charles V used to reside. William I of Holland entrusted the architect Suys with the construction of a palace that would include the former residence of the Minister Plenipotentiary appointed to Brussels by the Emperor of Austria. The work was completed in 1829, one year before the revolution. Leopold II considered that the Palace of Brussels, as it was at the time of his accession, was unsuitable for receiving and accommodating distinguished guests, so in 1867 he set about enlarging it. He ordered Balat to draw up the plans notably for the Grand Staircase, the Great Gallery, the Throne Room and the Marble Hall. Later, in 1904, the architect Maquet added an entirely new façade in the Palladian style, with a low-relief by Thomas Vinçotte adorning the pediment.

Der **Königliche Palast** wurde auf dem vormaligen Hof von Brüssel errichtet, wo einst Philipp der Gute und Kaiser Karl V residierten. Wilhelm I von Holland beauftragte den Architekten Suys mit dem Bau eines Palastes, in den sich die frühere Residenz des Gesandten des österreichischen Kaisers harmonisch einfügen sollte. Die Bauarbeiten wurden 1829, ein Jahr vor der Revolution, beendet. Leopold II schien der Palast von Brüssel für Empfänge und als Unterkunft für vornehme Gäste ungeeignet. 1867 begannen die Erweiterungsarbeiten. Die Baupläne u.a. für die Ehrentreppe, die große Galerie, den Thron- und den Marmorsaal stammen von Balat. 1904 baute der Architekt Maquet eine ganz neue Fassade im Stil Louis XVI. In dem Fronton befindet sich ein Basrelief von Thomas Vinçotte.

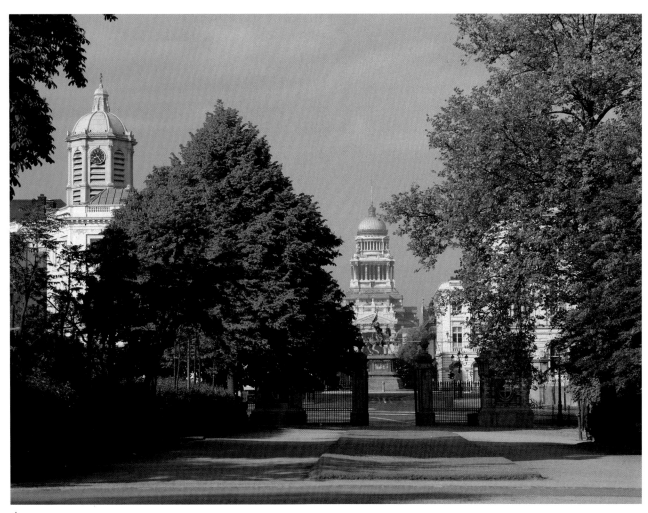

△

Dans la perspective qui s'ouvre depuis le Parc Royal se dresse le titanesque palais de justice (1866-1883). A mi-chemin, les hôtels de style Louis XVI autrichien et l'église Saint-Jacques sur Coudenberg entourent la **Place Royale** où, depuis 1848, la statue romantique de Godefroid de Bouillon, par Eugène Simonis, remplace celle de Charles de Lorraine, fondue sous l'occupation française.

In het verlengde van de perspectief die zich vanuit het Koninklijk Park opent, rijst het monumentale Justitiepaleis (1866-1883) op. Halverwege staan de in Oostenrijks getinte Lodewijk-XVI-stijl gebouwde herenhuizen van het **Koningsplein**. Ze omgeven het romantisch ruiterstandbeeld van Godfried van Bouillon door Eugène Simonis, dat de plaats heeft ingenomen van het standbeeld van Karel van Lorreinen, dat tijdens de bezetting omgesmolten werd.

The vista from the royal park culminates in the titanic Law Courts (1866-1883). Halfway, Louis XVI-style Austrian mansions and the St. James on Coudenberg church surround the **Place royale** where, since 1848, the romantic statue of Godefroid de Bouillon by Eugène Simonis has stood in the place of that of Charles de Lorraine which was melted down under the French occupation.

Der Ausblick, der sich dem Besucher vom Königlichen Park aus darbietet, ermöglicht es, in der Ferne den monumentalen Justizpalast zu sehen. Zwischen dem Königlichen Park und dem Justizpalast stehen die herrschaftlichen Stadthäuser des **Königsplatzes** (Place Royale) in österreichisch gefärbtem Louis XVI-Stil. In der Mitte des Platzes ragt seit 1848 das romantische Standbild Gottfrieds von Bouillon, ein Werk von Eugène Simonis. Es ersetzt die Statue Karls von Lothringen, die während der französischen Besatzung eingeschmolzen worden war.

△

Léopold II voulait qu'un monument triomphal commémore le cinquantenaire de l'indépendance belge. C'est finalement grâce à l'apport financier personnel du roi que l'architecte français Girault dressa en 1905 trois **arcades** de même hauteur entre les deux colonnades en hémicycle établies dès 1880.

Leopold II wilde het halve eeuwfeest van de Belgische onafhankelijkheid herdenken door de bouw van een triomfaal monument. Uiteindelijk en dank zij de financiële bijdrage van de vorst kon de Franse architect Girault in 1905 drie **arcaden** van gelijke hoogte bouwen tussen de twee zuilengalerijen die reeds in 1880 in halfrond waren opgericht.

Leopold II wanted a triumphal monument to mark the fiftieth anniversary of Belgian independence. Finally, it was thanks to the King's own financial contribution that, in 1905, the French architect Girault erected three **arcades** of the same height between the two semicircular colonnades that had been built in 1880.

Leopold II wollte die Fünfzigjahrfeier der belgischen Unabhängigkeit durch einen Prachtbau verewigt sehen. Mit teilweise vom König selbst beigesteuerten Geldern errichtete der französische Architekt Girault schließlich 1905 zwischen den beiden halbkreisförmigen Säulenreihen von 1880 die drei grossen **Bögen**, die sich gleichmäßig in die Höhe schwingen.

▷

Victor Horta, un des architectes qui firent de Bruxelles la capitale de l'Art nouveau, entreprit en 1898 la construction de sa propre maison. Il y donna libre cours à son génie. La ligne inspirée de formes végétales est traduite dans les matériaux les plus variés : mosaïques de marbres, vitraux, bois précieux, ferronneries.

Een van de architecten die Brussel tot hoofdstad van de Art nouveau verhieven was **Victor Horta**. In 1898 begon hij aan de bouw van een eigen woning. Zijn genie nam er de vrije loop. De lijn zoekt inspiratie in de vormentaal van het plantenrijk. Ze wordt hertaald met de meest diverse materialen : marmermozaïeken, glas-in-loodramen, kostbare houtsoorten, ijzersmeedwerk.

Victor Horta, one of the architects who made Brussels the capital of Art Nouveau, also built his own home in 1898. Here he gave his genius free rein. Lines inspired by the shape of plants were translated into the most varied materials : marble, mosaïc, stained glass, precious woods, wrought iron.

Victor Horta, einer der Architekten, der aus Brüssel ein Zentrum des Jugendstils machte, begann den Bau seiner eigenen Wohnung 1898. Er ließ dabei seiner schöpferischen Phantasie freien Lauf. In den verschiedensten Baustoffen erscheint die gleiche bewegte, pflanzenhaft sich schwingende Linie : in Mosaiken aus Marmor, in bemalten Fensterscheiben, in Edelholz, in Kunstschmiedearbeiten.

Connu surtout pour son parcours de golf, son bassin de natation et ses terrains de jeux divers, le vaste domaine provincial de **Huizingen** comporte aussi plusieurs hectares de jardins. Aux jours de printemps, les variétés d'azalées y déploient généreusement les nuances de leurs couleurs dont la tradition rapporte la symbolique : le jaune de la gloire, le vert de l'espérance, le rouge de l'ardeur ou le violet de la galanterie.

Het Provinciaal Domein **Huizingen** staat vooral bekend voor zijn golfbaan, zijn zwembad en zijn verschillende speel-weiden. Het enkele hectaren grote parkgedeelte bevat prachtige perken waarop de azalea's in de lente de symbo-lische betekenis van de kleuren voor het geheugen bren-gen : geel voor de roem, groen voor de hoop, rood voor de hartstocht en paars als zinspeling op galante avontuurtjes.

Known principally for its golf course, swimming pool and playing fields, the vast provincial domaine of **Huizingen** also has several hectares of gardens. In spring various varities of azaleas display their colours and traditional symbolism : yel-low for glory, green for hope, red for courage and violet for gallantry.

Die Domäne der Provinz Brabant in **Huizingen** ist vor allem wegen ihres Golfplatzes, ihres Schwimmbeckens und ihrer abwechslungsreichen Kinderspielplätze bekannt, zu de-nen noch einige Hektar Gartenanlagen hinzukommen. Im Fühling breiten Azalien verschiedenster Sorten da einen Far-benteppich aus, der von Farbensymbolik strotzt : Gelb für den Ruhm, Grün für die Hoffnung, Rot für die Leidenschaft, Veilchenblau für galante Liebesabenteuer.

◁

La tour carrée accostée d'une tourelle et le polygone des bâtiments font de l'**Hof te Wedem** un bel exemple de ferme brabançonne sur les terres de Hal. Blanchis à la chaux, le corps de logis qui est du XVIIe siècle et les constructions du XIXe forment un ensemble clos autour d'une cour pavée.

A fine example of a Brabant farm in the region of Hal is the **Hof te Wedem** with its square tower and turret and buildings forming a polygonal. The whitewashed main building is 17th century while 19th century additions surround the paved courtyard.

Hof te Wedem met zijn polygonale toren en zijn omvangrijke woongebouwen is een typisch Brabantse hoeve vlak bij Halle. Het witgekalkte hoofdgebouw uit de 17de eeuw evenals de bedrijfsgebouwen uit de 19de omsluiten een geplaveide binnenkoer.

Die um den viereckigen Turm mit angebautem Türmchen errichteten Gebäude verleihen **Hof te Wedem** die Form eines Vielecks. Es ist ein typischer Brabanter Bauernhof in der Nähe von Halle. Das mit Kalk geweißte Hauptgebäude aus dem 17. sowie die Wirtschaftsgebäude aus dem 19. Jh. umschließen den gepflasterten Hof von allen Seiten.

△

La cour intérieure du château de **Gaasbeek** révèle les façades d'une aimable demeure Renaissance. En 1388, le puissant appareil défensif de Gaasbeek n'évita pas un sac par les milices bruxelloises avides de venger le meurtre d'Everard 't Serclaes. A la fin du XVIIIe, il devint, par héritage, la propriété des marquis milanais Arconati-Visconti. La dernière et fantasque marquise fit restaurer le manoir à la manière romantique, chère au XIXe siècle.

The inner courtyard of the castle of **Gaasbeek** is bordered with pleasant Renaissance facades. In 1388, despite its powerful defences, Gaasbeek was sacked by the Brussels militiamen intent on avenging the murder of Everard 't Serclaes. At the end of the 18th century it was inherited by the Milanese marquesses Arconati-Visconti. The last, unpredictable marchioness had the manor restored in the Romantic manner much in fashion in the 19th century.

Op het binnenplein van het kasteel van **Gaasbeek** staat men voor de gevels van een fraai renaissancekasteel. Inderdaad, de stroeve burcht van Gaasbeek was in 1388 verwoest door de Brusselse militie, die de moord op Everard 't Serclaes was komen wreken. Nadat de Milanese markiezen Arconati-Visconti het kasteel even voor 1800 hadden geërfd, liet de laatste, nogal eigengereide nakomelinge van deze markiezen het in de 19de eeuw in de romantische geest ombouwen.

Auf dem Binnenhof des Schloßes von **Gaasbeek** steht der Besucher vor den Fassaden eines schmucken Renaissancehauses. Die wuchtige Burg von Gaasbeek war nämlich 1388 von Brüsseler Stadttruppen, die die Ermordung von Everard 't Serclaes rächen wollten, verwüstet worden. Nachdem es ein mailändischer Marquis Arconati-Visconti kurz vor 1800 geerbt hatte, ließ dessen letzter Nachfahre, eine recht eigenwillige Frau, das Schloß im 19. Jh. im damals gängigen romantischen Stil umgestalten.

△

Il pleuvait au matin du 18 juin 1815, lorsque Napoléon ordonna à ses troupes d'attaquer les armées alliées commandées par le duc de Wellington. Autour de la ferme de la Haie-Sainte, clef des positions britanniques, Anglais et Français se heurtèrent avec acharnement. Dans la soirée du même jour, Napoléon fuyait vers Paris. La journée avait coûté la vie à plus de 40.000 Français et 22.000 soldats alliés et provoqué la chute de Napoléon.

Sur le plateau de Mont-Saint-Jean, la **butte du Lion** a été élevée à l'endroit où fut blessé le prince d'Orange qui avait sous ses ordres les Belges et les Hollandais. Le lent travail des *botteresses* liégeoises, portant sur leur dos une hotte remplie de terre, l'a menée à quarante-cinq mètres de hauteur. Le lion de fonte qui le domine regarde la France. L'escalade des 226 marches offre un panorama du champ de bataille, resté quasi tel qu'il était en 1815.

It was raining, on the morning of 18 June 1815, when Napoleon sent his men to attack the allied armies commanded by the Duke of Wellington. Some of the toughest fighting between the British and the French was near the farm of *La Haie-Sainte*, which was a key British position. In the evening of the same day, Napoleon fled to Paris. The battle had cost the lives of over 40.000 French and 22,000 Allied soldiers.

The **Lion's Mount** was erected on the plateau of *Mont-Saint-Jean*, at the spot where the Prince of Orange had been wounded. It was he who had the Belgian and Dutch troops under his command. Slow work by the *botteresses* of Liege, women labourers who moved earth in baskets carried on their backs, raised the mound to a height of close on a hundred and fifty feet. The cast iron lion at the top faces France. Visitors who ascend the 226 steps have a view of the battlefield almost as it was in 1815.

Het was in de regen, bij het krieken van 18 juni 1815, dat Napoleon zijn troepen bevel gaf tot de aanval op de legers van de bondgenoten die onder het opperbevel van de Hertog van Wellington stonden. Rond de hoeve, *La Haie-Sainte*, sleutelpositie van de Britse troepen, kwam het tot verwoede gevechten tussen Engelsen en Fransen. De avond van dezelfde dag vluchtte Napoleon naar Parijs. Die dag sneuvelden meer dan 40.000 Fransen en 22.000 geallieerde soldaten.

Op het plateau van de *Mont-Saint-Jean,* op de plaats waar de aanvoerder van de Belgen en de Hollanders, de Prins van Oranje, werd gekwetst, werd de **Leeuwenheuvel** opgericht. De grond van de heuvel werd aangebracht in korven, op de rug gedragen, door Luikse *botteresses.* Boven staat een bronzen leeuw met de blik naar Frankrijk gericht. Een trap van 226 treden leidt naar boven waar men een zicht heeft op het slagveld bijna zoals het er in 1815 uitzag.

Er regnete am Morgen des 18. Juni 1815, als Napoleon seinen Truppen befahl, die Heere der Verbündeten unter dem Befehl des Herzogs von Wellington anzugreifen. Rund um den Bauernhof *Haie-Sainte,* Schlüsselpunkt der britischen Stellungen, stießen Engländer und Franzosen verbissen aufeinander. Am Abend desselben Tages flüchtete Napoleon nach Paris. Der Tag hatte 40.000 Franzosen und 22.000 Verbündeten das Leben gekostet.

Auf der Hochebene von *Mont-Saint-Jean* wurde der **Löwenhügel** an der Stelle errichtet, wo der Prinz von Oranien, unter dessen Befehl die Belgier und Holländer standen, verwundet wurde. Die langsame Arbeit der Lütticher *Botteresses,* die auf ihrem Rücken eine Kiepe voll Erde trugen, brachte ihn auf fünfundvierzig Meter Höhe. Der gußeiserne Löwe, der auf ihm steht, blickt nach Frankreich. Das Erklimmen der 226 Treppenstufen bietet eine Rundsicht des Schlachtfeldes, das ungefähr so geblieben ist, wie es 1815 war.

De l'abbaye de **Villers-la-Ville**, fondée en 1146 par les moines de Cîteaux, saint Bernard lui-même jeta les fondations. Trois quarts de siècle (1200 à 1272) furent consacrés à l'édification des trois nefs de l'église abbatiale. Quelques heures suffirent aux révolutionnaires français pour les détruire. Les intempéries firent le reste, provoquant en 1874 l'effondrement des voûtes. Les ruines révèlent encore le style champenois de l'édifice où, jusqu'à la fin du XVIIIᵉ siècle, quelque 400 moines et convers se réunissaient pour la prière.

Saint Bernard himself laid the foundations of the Abbey of **Villers-la-Ville**, begun by the monks of Cîteaux in 1146. Nearly three quarters of a century (1200 to 1272) were required to build the three naves of the abbey church but only a few hours were required by French revolutionary troops to destroy it. Weather accomplished the rest, causing the collapse of the vaulting in 1874. The ruins reveal the influence of the Champagne regional style on the building in which some 400 monks and lay brothers met in prayer until the end of the 18th century.

De abdij van **Villers-la-Ville** werd in 1146 in aanwezigheid van de heilige Bernard zelf door de Cisterciënzers gesticht. De bouw van de drie beuken van de abdijkerk had meer dan 70 jaar in beslag genomen (1200-1272), maar de Franse revolutionairen hadden slechts enkele uren nodig om ze te vernielen. De aan wind en weer blootgestelde gewelven stortten in 1874 in, maar de ruïnes laten nog de uit Champagne komende bouwstijl van de abdij vermoeden, die tot laat in de 18de eeuw 400 monniken en lekebroeders telde.

Der heilige Bernard selbst legte den Grundstein der 1146 von den Zisterziensermönchen gegründeten Abtei von **Villers-la-Ville**. Während der Bau der dreischiffigen Abteikirche drei Vierteljahrhunderte gedauert hatte (1200-1272), benötigten die französischen Revolutionäre nur einige Stunden, um sie zu zerstören. Die Unbilden des Wetters verschlimmerten die Lage, so daß die Gewölbe 1874 einstürzten. Doch die Ruinen lassen noch den aus der Champagne kommenden Stil des Gotteshauses erahnen, in dem sich bis zum Ende des 18. Jh. etwa 400 Mönche und Brüder zum Gebet versammelten.

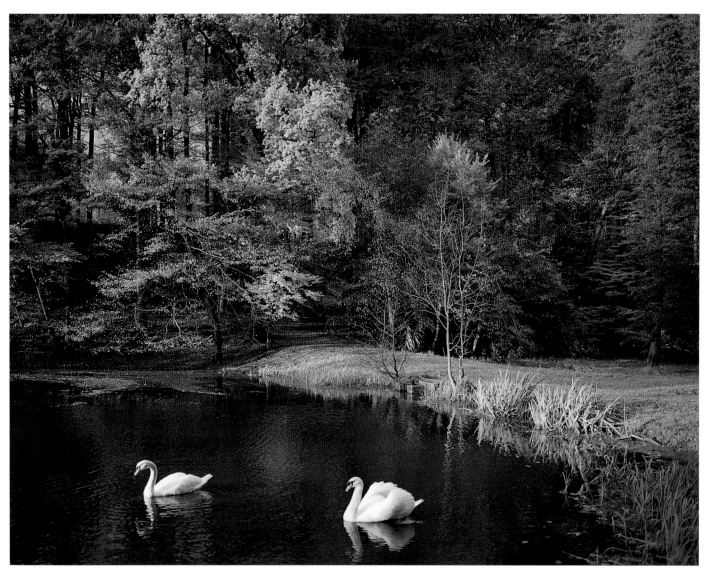

△

En l'abbaye de **Groenendael,** Ruusbroec l'Admirable écrivit, vers le milieu du XIVᵉ siècle, les pages mystiques qui firent sa gloire. Il ne reste presque plus rien du monastère, dévasté par les révolutionnaires français. La forêt a envahi jusqu'aux pierres tombales et les étangs sont désormais le domaine des carpes.

It was in the abbey of **Groenendael** that, in the middle of the 14th century, the Blessed Jan van Ruysbroeck composed the mystical writings for which he is famed. Very little is left of the monastery, which was wrecked by French revolutionaries. The forest has even covered most of the tombstones, and carp reign supreme in the nearby ponds.

Omstreeks het midden van de 14de eeuw schreef Ruusbroec de Wonderbare in de abdij van **Groenendaal** de mystieke teksten die hem beroemd zouden maken. Van het klooster, vernield door de Franse revolutionairen, bleef omzeggens niets gespaard. Het woud heeft zelfs de grafzerken overgroeid en in de vijvers zwemmen dikke karpers.

In der Abtei **Groenendael** schrieb Jan van Ruusbroec gegen Mitte des 14. Jahrhunderts die mystischen Seiten, die ihn berühmt machten. Es bleibt fast nichts mehr von dem Kloster übrig, das die französischen Revolutionäre verwüsteten. Der Wald überwucherte sogar die Grabsteine, und die Teiche sind nun der Lebensbereich der Karpfen.

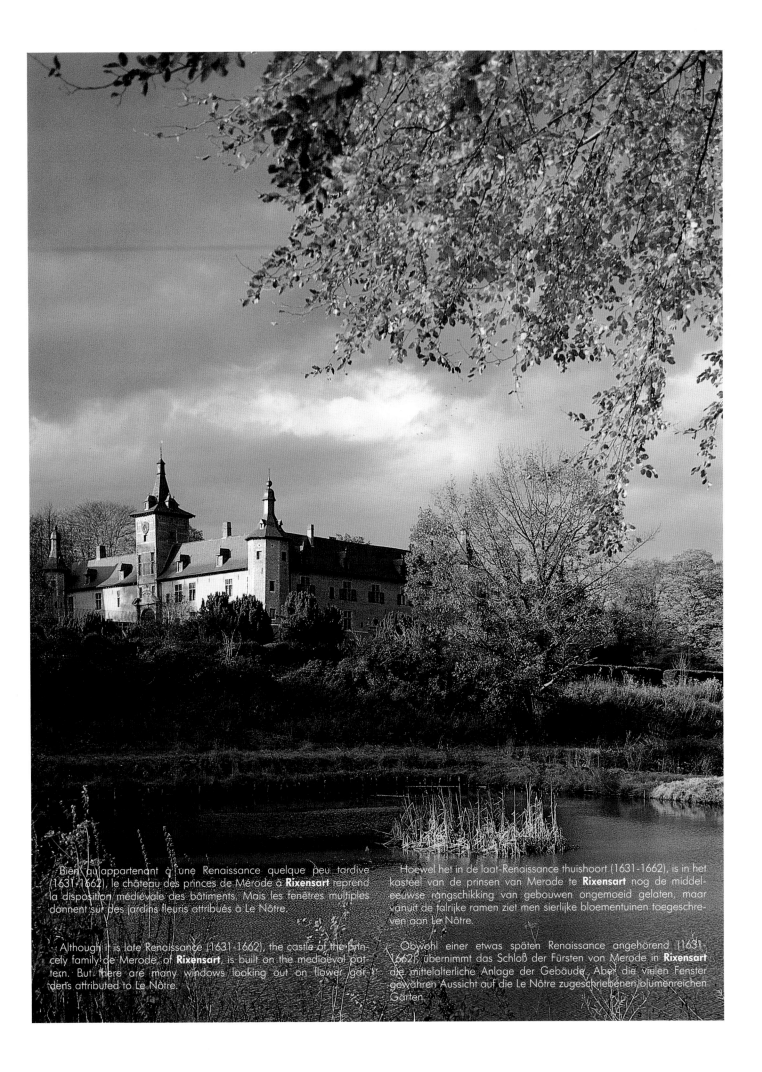

Bien qu'appartenant à une Renaissance quelque peu tardive (1631-1662), le château des princes de Mérode à **Rixensart** reprend la disposition médiévale des bâtiments. Mais les fenêtres multiples donnent sur des jardins fleuris attribués à Le Nôtre.

Although it is late Renaissance (1631-1662), the castle of the princely family de Merode, of **Rixensart**, is built on the mediaeval pattern. But there are many windows looking out on flower gardens attributed to Le Nôtre.

Hoewel het in de laat-Renaissance thuishoort (1631-1662), is in het kasteel van de prinsen van Merode te **Rixensart** nog de middeleeuwse rangschikking van gebouwen ongemoeid gelaten, maar vanuit de talrijke ramen ziet men sierlijke bloementuinen toegeschreven aan Le Nôtre.

Obwohl einer etwas späten Renaissance angehörend (1631-1662), übernimmt das Schloß der Fürsten von Merode in **Rixensart** die mittelalterliche Anlage der Gebäude. Aber die vielen Fenster gewähren Aussicht auf die Le Nôtre zugeschriebenen blumenreichen Gärten.

▽

L'histoire de **Nivelles** se confondit longtemps avec celle du monastère fondé entre 647 et 650 par Itte, femme de Pépin de Landen, et par sa fille Gertrude qui aurait refusé d'épouser le fils du duc d'Aquitaine.

Impressionnante par le caractère géométrique de sa puissante nef à deux étages (XIᵉ siècle), la collégiale de Sainte-Gertrude, consacrée en 1046, fut élevée sur les vestiges de deux églises primitives : mérovingienne et carolingienne.

The history of **Nivelles** was for a long period inextricably tied to that of the monastery founded between 647 and 650 by Itte, the wife of Pepin of Landen, and her daughter Gertrude who refused to marry the son of the Duke of Aquitaine. The impressive collegial church of St. Gertrude with its massive two storey Romanesque nave was consecrated in 1046. It is built on the remains of two earlier churches, the oldest of the Merovingian period, the later from the Carolingian.

De geschiedenis van **Nijvel** viel eeuwenlang samen met die van het klooster dat tussen 647 en 650 werd gesticht door Itte, de vrouw van Pepijn van Landen, en diens dochter Gertrudis, die geweigerd zou hebben met de zoon van de hertog van Aquitanië in het huwelijk te treden.

De Sint-Gertrudiskerk met haar indrukwekkende middenbeuk, waarvan de twee verdiepingen de geometrische structuur krachtig onderstrepen, werd in 1046 ingewijd. Ze verheft zich boven overblijfsels van twee oudere kerken, één uit het merovingisch, de andere uit het karolingisch tijdperk.

Die Geschichte von **Nivelles** fiel jahrhundertelang mit der des Klosters zusammen, das Itte, die Gemahlin Pipins von Landen, und deren Tochter Gertrud, die den Heiratsantrag des Sohnes des Herzogs von Aquitanien abgeschlagen haben soll, zwischen 647 und 650 in Nivelles gründeten.

Die der heiligen Gertrud gewidmete Stiftskirche beeindruckt durch die streng geometrische Struktur des zweistöckigen Mittelschiffes (11. Jh.). Sie wurde 1046 eingeweiht und erhebt sich über den Resten einer merovingischen und einer karolingischen Gebetsstätte.

▷

A la fois séduisante et déconcertante par son plan, la chapelle rurale de **Zétrud-Lumay** est dédiée à Notre-Dame de Bon Secours, objet d'une dévotion très populaire dans nos provinces. Sans doute est-ce le nombre de pèlerins venus des environs qui incita à adjoindre au chœur circulaire (XVIIᵉ siècle) une nef à pans coupés, dont des pilastres de briques égaient la partie basse du petit édifice. Le portail baroque porte le millésime 1718.

The rural chapel of **Zétrud-Lumay** dedicated to Our Lady of Good Help, a popular cult in our provinces, has a plan which is both charming and surprising. A nave with cut-off corners was probably added in the 17th century circular choir in order to accommodate the numerous pilgrims who flocked there. The brick pilasters of the nave add charm to the little building whose baroque portal carries the date 1718.

De schilderachtige, landelijke kapel van **Zétrud-Lumay** doet qua bouwplan nogal vreemd aan. Ze is gewijd aan de Hulpverlenende Moeder Gods, die in onze contreien door het hele volk werd vereerd. Aan de kooromgang werd in de 17de eeuw, waarschijnlijk omwille van het groeiende aantal pelgrims, een in vakken verdeeld kerkschip aangebouwd met bakstenen pilasters, die het benedengedeelte van het gebouw verfraaien. Op het barokke portaal prijkt het jaartal 1718.

Die reizende ländliche Kapelle von **Zétrud-Lumay** ist der Hilfreichen Gottesmutter gewidmet, die von breiten Teilen der Bevölkerung angerufen und verehrt wurde. Der erstaunliche Grundriß hängt wohl mit der zunehmenden Anzahl Pilger aus der Umgebung zusammen. Zum Rundchor aus dem 17. Jh. fügte man ein Kirchenschiff hinzu, das durch Wandpfeiler aus Backstein eingeteilt und verschönert wird. Auf dem Portal im Barockstil prangt die Jahreszahl 1718.

◁

Au Moyen Age, Corroy était partagée entre plusieurs seigneuries. La ferme du château, au nord de **Corroy-le-Grand**, confirme la vocation agricole de la région. Vaste quadrilatère, elle a conservé de son passé médiéval un fragment d'enceinte englobé dans les annexes, une tour ronde percée de meurtrières et une portelette cintrée du côté de la cour.

D'inégale hauteur, les deux tours carrées en brique sont du XVIIe siècle. Les bâtiments principaux, y compris les étables et les granges, ont été construits au cours des XVIIIe et XIXe siècles, mais ils reposent souvent sur des bases plus anciennes.

Corroy was divided among several seignories in the Middle Ages. The home farm of the castle, north of **Corroy-le-Grand**, typifies the agricultural role of the region. The buildings form a large quadrilateral containing some relics of the mediaeval past, such as piece of wall in the outbuildings, a round tower with arrow slits and a little arched door on the courtyard side.

The two brick towers of different heights are 17th century. The main buildings, including the stables and barns were built in the 18th and 19th centuries on much older foundations.

In de Middeleeuwen was **Corroy-le-Grand** over verscheiden heerlijkheden verdeeld. Ten noorden van dit dorp in een typische landbouwstreek ligt de grote vierhoek van een kasteelhoeve, waarin nog overblijfsels uit de Middeleeuwen te zien zijn : een nu in de bijgebouwen ingebouwd stuk van de vestingmuur, een cirkelvormige toren met schietgaten en een boogdeur die op de binnenkoer uitkomt.

De twee vierkante baksteentorens van ongelijke hoogte dateren uit de 17de, hoofdgebouw, stallen en schuren uit de 18de en 19de eeuw, maar een groot deel van de fundamenten is veel ouder.

Im Mittelalter war **Corroy-le-Grand** in verschiedene herrschaftliche Güter aufgeteilt. Der Landsitz im Norden der Ortschaft ist für dieses Agrargebiet typisch. Die Gebäude bilden ein Viereck und enthalten noch Überbleibsel aus dem Mittelalter : ein in die Wirtschaftsgebäude integriertes Stück Festungsmauer, ein mit Schießscharten versehener Rundturm und ein auf den Innenhof führendes, bogenförmig gemauertes Tor.

Die zwei viereckigen, nicht gleich hohen Türme aus Sandstein wurden im 17. Jh. errichtet, das Hauptgebäude, Stallungen und Scheunen im 18. und 19. Jh., doch teilweise auf älteren Fundamentmauern.

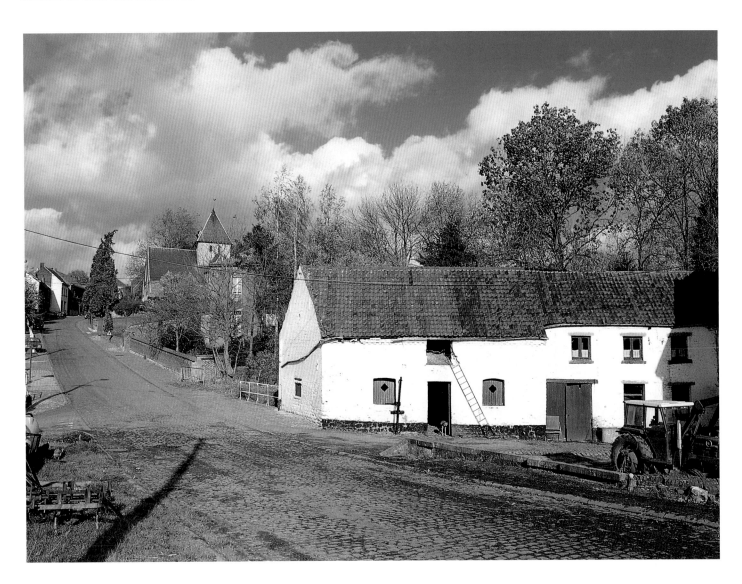

△

Avec Braine-le-Château et Bois-Seigneur-Isaac, **Haut-Ittre** formait jadis un redan du comté de Hainaut dans le duché de Brabant. Bordée de petites fermes, la rue principale de ce village désormais brabançon-wallon monte vers l'église qui a gardé sa tour romane et en grès du XIIe siècle.

Along with Braine-le-Château and Bois-Seigneur-Isaac, **Haut-Ittre** formed an outpost of the County of Hainaut in the Duchy of Brabant. The main street of the village, now part of Brabant Wallonia, is bordered by little farms and leads to the church which has retained its 12th century Romanesque tower.

Samen met Kasteelbrakel en Bois-Seigneur-Isaac vormde **Haut-Ittre** vroeger een insnijding van het graafschap Henegouwen in het hertogdom Brabant. Langs de hoofdstraat van dit nu tot Waals Brabant behorende dorp liggen kleine boerderijen en rijst de dorpskerk met haar zandsteentoren op, die uit de 12de eeuw dateert.

Mit Braine-le-Château und Bois-Seigneur-Isaac bildete **Haut-Ittre** einen ins Herzogtum Brabant hineinragenden Zipfel der Grafschaft Hennegau. Die von kleinen Bauernhöfen umsäumte Hauptstraße des jetzt zum wallonischen Teil Brabants gehörenden Dorfes steigt bis zur Kirche hinan, deren romanischer Turm aus Sandstein aus dem 12. Jh. stammt.

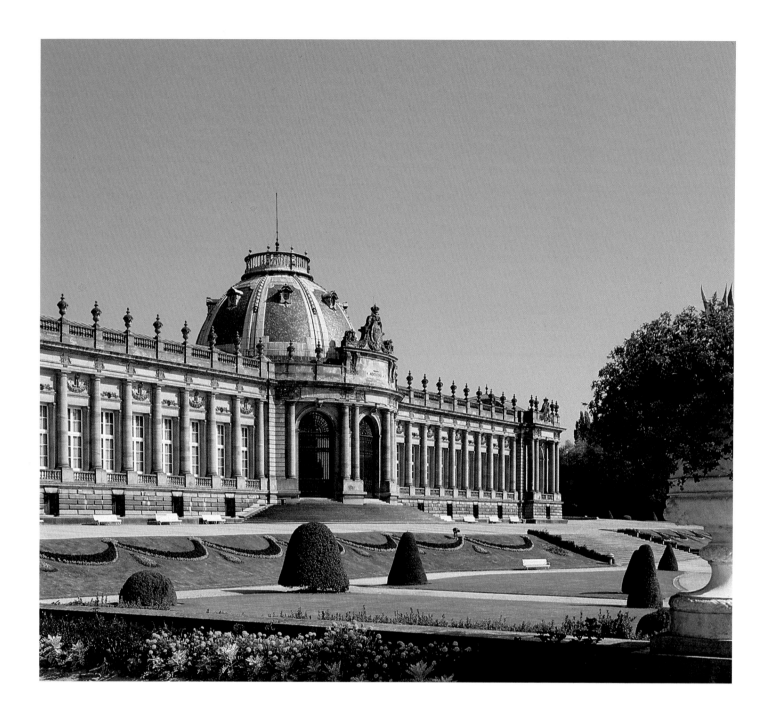

A **Tervueren**, où s'éleva le château des ducs de Brabant, où séjournèrent le jovial Charles de Lorraine et l'infortunée impératrice Charlotte du Mexique, Léopold II fit construire un palais-musée, suivant les plans de l'architecte français Ch. Girault.

Sous la coupole, la rotonde de style Louis XVI témoigne du sens de la grandeur du souverain.

It is at **Tervuren**, where the Dukes of Brabant had their castle and where the jovial Charles of Lorraine stayed, as well as the unhappy Empress Charlotte of Mexico, that Leopold II had a palace-cum-museum built, after plans of the French architect Ch. Girault.

The Louis XVI style rotunda under the dome is an example of the grandiose taste of the monarch.

In **Tervuren**, waar het kasteel van de hertogen van Brabant zich verhief, woonplaats van de gulhartige Karel van Lorreinen en de ongelukkige Charlotte van Mexico, liet Leopold II een museum-paleis bouwen naar de plannen van de Franse architect Ch. Girault.

De overkoepelde ronde hal in Lodewijk-XVI-stijl wijst op de ruime blik van de vorst en zijn voorkeur voor grote proporties.

In **Tervuren**, wo sich das Schloß der Herzöge von Brabant erhob, in dem sich der joviale Karl von Lotharingen und die unglückliche Kaiserin Charlotte von Mexico aufhielten, ließ Leopold II, ein palastartiges Museum nach den Plänen des französischen Architekten Ch. Girault erbauen.

Die von einer Kuppel überragte Rotunde im Stile Louis-seize bezeugt den Sinn für Größe und die Vorliebe des Fürsten für stattliche Ausmaße.

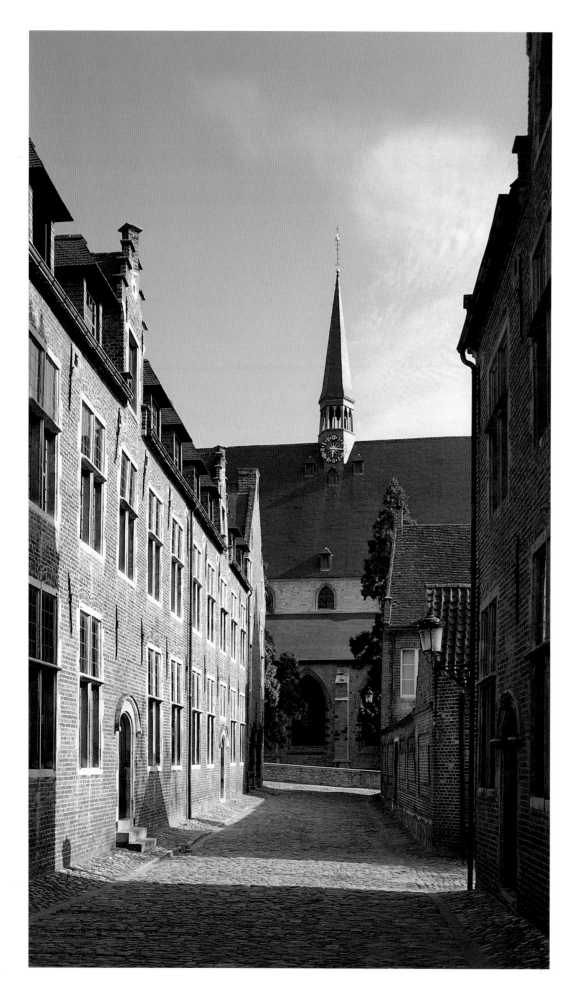

◁

Le **Grand Béguinage de Louvain**, fondé au XIIIᵉ siècle, est devenu cité universitaire depuis 1962.

Het **Groot Begijnhof van Leuven**, dat in de 13de eeuw werd gesticht, is sedert 1962 een universitaire woonwijk.

Since 1962 the **Great Beguinage of Louvain**, founded in the 13th century, has been used as a students' hall.

Der **Große Löwener Beginenhof**, der im 13. Jahrhundert gegründet wurde, ist seit 1962 Studentenwohnheim geworden.

▷

Commencé en 1447 et terminé en 1460, sous le règne de Charles le Téméraire, l'**hôtel de ville de Louvain**, construit par Mathieu de Laeyens, ressemble à une châsse géante où dix travées de trois étages sont séparées entre elles par des trémeaux saillants.

Het ten tijde van Karel de Stoute door Matthijs de Laeyens gebouwde **stadhuis van Leuven**, dat in 1447 werd begonnen en in 1460 werd voltooid, lijkt op een reusachtig relikwieschrijn waarvan de drie verdiepingen met telkens tien traveeën door uitspringende dwarslagen van elkaar zijn gescheiden.

Work on the **Town Hall of Louvain**, built by Mathieu de Laeyens, was begun in 1447 and completed in 1460, under the reign of Charles the Bold. It resembles a vast reliquary in which ten three-storey spans are separated by jutting piers.

Das 1447 begonnene und 1460 während der Regierungszeit Karls des Kühnen vollendete **Rathaus der Stadt Löwen** wurde nach Plänen von Mathias de Laeyens errichtet. Es gleicht einem riesigen Reliquienschrein, dessen zehn auf drei Stockwerke verteilte Felder horizontal durch hervortretendes Gesims voneinander getrennt sind.

△
Dominée par la verticalité impérieuse de la tour de la cathédrale Saint-Rombaut, la **grand-place de Malines** peut s'enorgueillir d'un ensemble cohérent de maisons des XVIe et XVIIe siècles. Les pignons à redents des unes révèlent la fin du gothique tandis que les pignons à volutes des autres marquent l'épanouissement du style baroque.

Alhoewel gedomineerd door de kloeke vertikale toren van de St.-Rombautskathedraal, kan de **Grote Markt van Mechelen** bogen op een indrukwekkende reeks huizen uit de 16de en 17de eeuw. Laat-gotische, tandvormige puntgevels wisselen af met krulvormige die tijdens de bloeiperiode van de barok zijn ontstaan.

The imposing vertical tower of Saint-Rombaut cathedral overlooks the **main square in Mechelen**, which can be proud of its harmonious group of 16th and 17th century houses. The step-gables of some are late Gothic, while the voluted gables of others represent the baroque style in full bloom.

Die vertikale Wucht des Turmes der St.-Rombautskathedrale wirft oft ihren mächtigen Schatten auf den **Marktplatz von Mechelen**, doch dieser kann stolz mit einer stattlichen und recht einheitlichen Reihe schöner Häuser aus dem 16. und 17. Jh. aufwarten. Während der ausgezahnte obere Giebelrand der einen auf das Ende der Gotik hinweist, künden die schwungwollen Spiralen der Giebelaufsätze anderer vom Siegeszug des Barockstils.

▷
A Malines, sur la Dyle, près du **quai aux Avoines** (Haverwerf), les voiles tendues de quelques bateaux encadrent la façade à balcon d'une jolie maison ancienne.

In Mechelen, aan de oever van de Dijle in de buurt van **de Haverwerf** flankeren de opgehesen zeilen van een paar boten de langsgevel van een stijlvol oud huis met balkon.

On the Dyle in Malines, near the **Oats Quay** (Haverwerf), sails frame the balconied façade of a lovely old house.

In Mechelen, an der **Haverwerf** (Haverabladeplatz) auf der Dijle umrahmen die aufgezogenen Segel von Booten die Fassade eines altehrwürdigen Hauses.

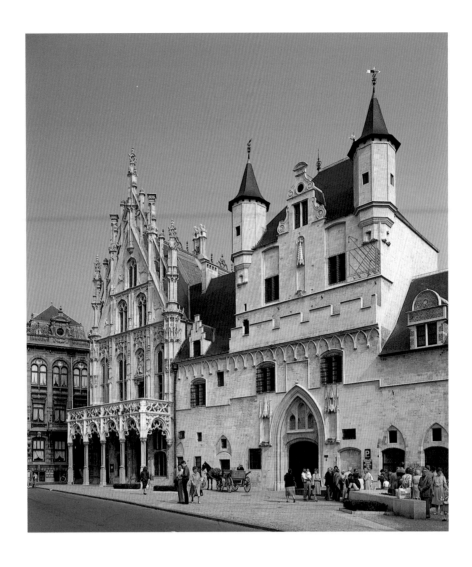

△

Deux bâtiments distincts forment l'**hôtel de ville de Malines**. Celui de droite est l'ancienne Halle aux Draps, commencée en 1311 mais qui demeura inachevée en raison de la crise qui frappa l'industrie drapière vers la fin du XIVᵉ s. Celui de gauche est le palais de style gothique finissant que Charles Quint destinait au Grand Conseil mais qui ne fut terminé qu'en 1913, d'après les plans originaux.

Het **stadhuis van Mechelen** bestaat uit twee aparte gebouwen. Het rechtse is de oude, in 1311 begonnen lakenhalle, die nooit werd voltooid omdat de lakennijverheid op het einde van de 14de eeuw snel terugliep. Links daarvan staat een paleis in laat-gotische stijl dat in opdracht van Karel V voor de Grote Raad werd gebouwd, maar pas in 1913 helemaal werd afgewerkt, zonder dat er nochtans van de oorspronkelijke bouwplannen werd afgeweken.

The **Town Hall of Mechelen** is composed of two distinct parts. On the right is the old Cloth Hall begun in 1311 but not finished because of the decline of the cloth industry towards the end of the 14th century. The left part, in the late Gothic style, that Charles V intended for the Grand Council was only finished in 1913, following the original plans.

Das **Rathaus von Mechelen** besteht aus zwei sehr verschiedenen Gebäuden. Rechts befindet sich das frühere Gewandhaus, dessen Bau 1311 in Angriff genommen wurde, jedoch wegen des Rückgangs des Tuchhandels gegen Ende des 14. Jh. nie zu Ende geführt wurde. Der spätgotische Palast links war von Karl V. als Sitz des Großen Rates geplant. Unter genauer Beachtung des ursprünglichen Bauplans wurde er 1913 vollendet.

◁

Le **refuge de l'abbaye de Saint-Trond** à Malines (XVIᵉ siècle) abrite le musée diocésain.

In het **refugium van de abdij van Sint-Truiden** te Mechelen (16de eeuw) werd het Bisschoppelijk Museum ondergebracht.

The **Refuge of the Abbey of Saint-Trond** in Malines (16th century) now houses the Diocesan Museum.

Das **Zufluchtshaus der Abtei Sint-Truiden** in Mechelen (16. Jh.) beherbergt das Diözesanmuseum.

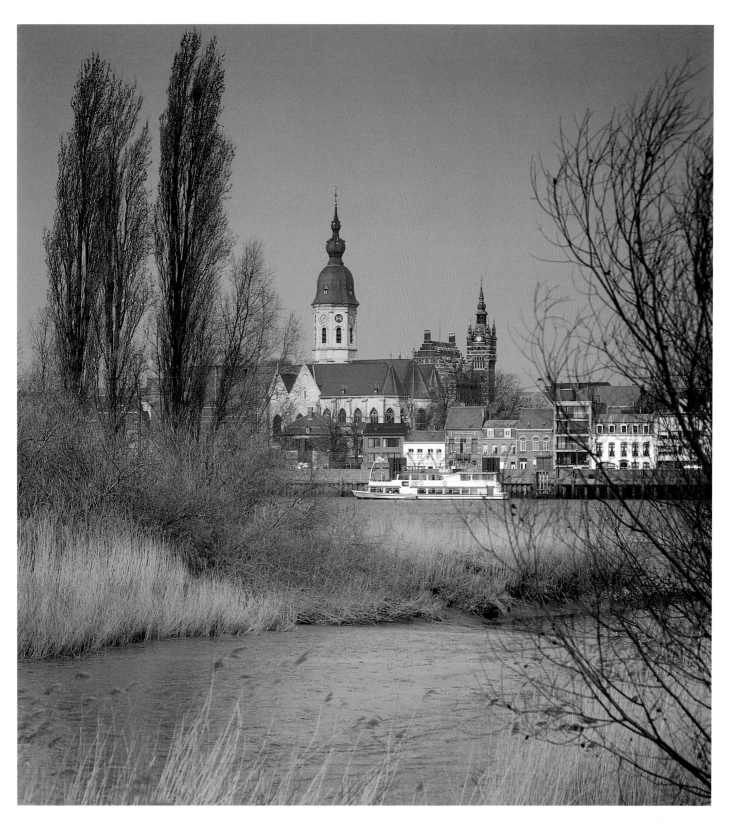

On raconte que **Tamise** doit son nom au roi d'Angleterre Edouard III qui, en 1338, avait été frappé par la ressemblance du paysage scaldéen avec celui du fleuve anglais. Quoi qu'il en soit, l'histoire de cette ville industrielle et industrieuse se confond avec celle du fleuve qui a pris de l'ampleur avant de quitter la Flandre Orientale.

It is said that **Tamise** owes its name to King Edward III of England who was struck by the similarity between the countryside of the Scheldt and that of the English river, the Thames (*Tamise* in French). Be what may, the history of this industrious industrial town is intimately bound up with that of the river which broadens before leaving East Flanders.

Naar men vertelt heeft **Temse** zijn naam te danken aan Eduard III, koning van Engeland, die in 1338 door de gelijkenis tussen de Schelde-vallei en die langs de Engelse rivier zou zijn getroffen. Wat er ook van zij, het lot van deze bedrijvige industriestad werd in hoge mate door de Schelde bepaald, die naarmate ze de grens van Oost-Vlaanderen nadert steeds breder wordt.

Die Legende führt den Namen der Stadt **Temse** auf den englischen König Eduard III. zurück, der sich 1338 über die verblüffende Ähnlichkeit zwischen dem Scheldetal bei Temse und dem der Themse gewundert haben soll. Wie dem auch sei, diese Industrie- und Handelsstadt verdankt der Schelde, die an der Grenze Ostflanderns immer breiter wird, ihren Wohlstand.

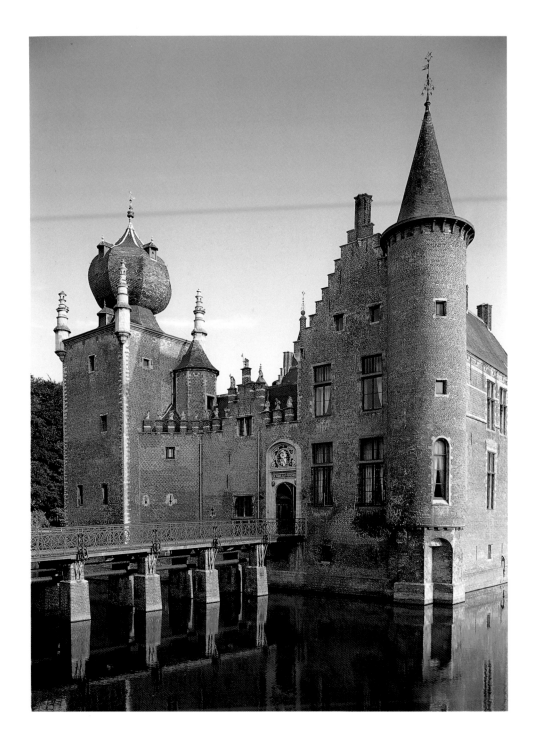

Le château de **Cleydael** doit son nom — val d'argile — à la nature du sol sur lequel il fut construit au XIVᵉ siècle. Demeuré intact depuis son agrandissement en 1518, il est un remarquable exemple d'habitation seigneuriale du XVIᵉ siècle. Cromwell y séjourna sous la surveillance de sa tante Anne Hooftman.

The castle of **Cleydael** owes its name — dale of clay — to the soil on which it was built in the 14th century. It has remained undamaged since it was enlarged in 1518, and thus constitutes a remarkable example of a 16th century nobleman's residence. Cromwell stayed in it under the watchfull eye of his aunt, Anne Hooftman.

Het kasteel van **Cleydael** heeft zijn naam aan de samenstelling van de grond te danken waarop het in de 14de eeuw werd gebouwd. In 1518 werd het vergroot. Daar het sedertdien geen enkele wijziging onderging is het een merkwaardig voorbeeld van een herenwoning uit de 16de eeuw. Cromwell verbleef er onder het wakend oog van zijn tante, Anna Hooftman.

Schloß **Cleydael** verdankt seinen Namen — Kleital — der Art des Bodens, auf dem es im 14. Jahrhundert erbaut wurde. Seit einer Vergrößerung im Jahre 1518 unverändert geblieben, ist es ein bemerkenswertes Beispiel der Herrensitze aus dem 16. Jahrhundert. Cromwell weilte dort unter der Aufsicht seiner Tante Anne Hooftman.

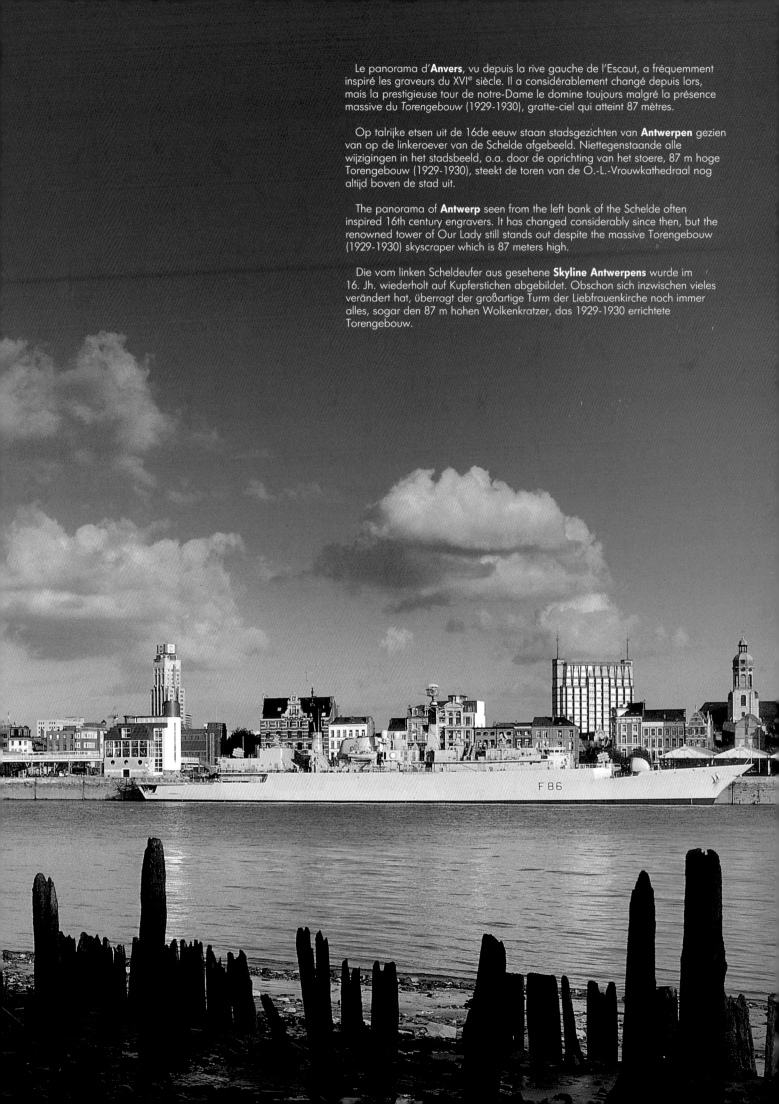

Le panorama d'**Anvers**, vu depuis la rive gauche de l'Escaut, a fréquemment inspiré les graveurs du XVIe siècle. Il a considérablement changé depuis lors, mais la prestigieuse tour de notre-Dame le domine toujours malgré la présence massive du *Torengebouw* (1929-1930), gratte-ciel qui atteint 87 mètres.

Op talrijke etsen uit de 16de eeuw staan stadsgezichten van **Antwerpen** gezien van op de linkeroever van de Schelde afgebeeld. Niettegenstaande alle wijzigingen in het stadsbeeld, o.a. door de oprichting van het stoere, 87 m hoge Torengebouw (1929-1930), steekt de toren van de O.-L.-Vrouwkathedraal nog altijd boven de stad uit.

The panorama of **Antwerp** seen from the left bank of the Schelde often inspired 16th century engravers. It has changed considerably since then, but the renowned tower of Our Lady still stands out despite the massive Torengebouw (1929-1930) skyscraper which is 87 meters high.

Die vom linken Scheldeufer aus gesehene **Skyline Antwerpens** wurde im 16. Jh. wiederholt auf Kupferstichen abgebildet. Obschon sich inzwischen vieles verändert hat, überragt der großartige Turm der Liebfrauenkirche noch immer alles, sogar den 87 m hohen Wolkenkratzer, das 1929-1930 errichtete Torengebouw.

La grand-place d'Anvers communique avec le quai Van Dyck par le **Suikerrui** qui doit son nom à l'ancien canal du Sucre. A l'angle du quai, des statues allégoriques de Jef Lambeau ornent la Hansahuis construite au début du XXᵉ siècle. Au fond de la perspective se profile la tour de Notre-Dame.

The Grote-Markt of Antwerp is linked to the Van Dyck wharf by the **Suikerrui** which takes it name from the old Sugar canal. On the corner of the wharf, allegorical statues by Jef Lambeau decorate the Hanse House built in the early 20th century. The tower of Our Lady rises in the distance.

De **Suikerrui**, eigenlijk de gracht waarlangs de suikerhandelaars woonden, verbindt de Grote Markt van Antwerpen met de Van Dijck-kaai. Op de hoek van de kaai en de rui staat het in het begin van de twintigste eeuw gebouwde Hansahuis, dat Jef Lambeau met allegorische standbeelden heeft verfraaid. Op de achtergrond rijst de toren van de O.-L.-Vrouwekerk op.

Die **Suikerrui**, deren Name eigentlich Graben der Zuckerhändler bedeutet, verbindet den Marktplatz von Antwerpen mit dem Scheldeufer (Van Dijckkaai). An der Ecke des Kais und des Grabens befindet sich das Anfang des 20. Jh. gebaute Hansahaus, das Jef Lambeau mit allegorischen Standbildern schmückte. Im Hintergrund erhebt sich der Turm der Liebfrauenkirche.

Les hôtels de prestige ne manquent pas dans la ville des *Sinjoren*. Mais, davantage que dans les palaces, c'est dans les anciennes maisons privées que l'on peut retrouver l'atmosphère raffinée des siècles révolus. Ainsi en est-il de l'hôtel «**De Rosier**», nom d'une demeure patricienne construite au XVIᵉ siècle.

Princely hotels abound in the city of the «*Sinjoren*» (= gentlemen) but it is rather in the old private dwellings that the refined atmosphere of past centuries is to be found. Such is the case of the **De Rosier** hotel which bears the name of the pand founded there in the 16th century.

In de Sinjorenstad struikel je over de prachtige herenhuizen, maar de verfijnde elegantie van weleer is soms beter bewaard gebleven in oude particuliere huizen dan in de grote paleizen. Het hotel **De Rosier** — de naam verwijst naar een in de 16de eeuw opgetrokken pand — is daar een mooi voorbeeld van.

In Antwerpen, der Stadt der „Sinjoren" (=Herren), ist an prachtvollen Herrenhäusern gewiß kein Mangel, doch blieben Geist und Raffinement verflohener Zeiten oft besser in alten Privathäusern erhalten. Dies gilt u.a. für das jetztige Hotel **De Rosier**, ein Gebäude aus dem 16. Jh.

Construites aux XVIᵉ et XVIIᵉ siècles, en bordure de la **Grand-Place d'Anvers**, les maisons des corporations révèlent la persistance de la tradition gothique.

De gildehuizen op de **Grote Markt te Antwerpen**, gebouwd in de 16de en 17de eeuw, getuigen van het voortduren van de gotische invloed.

These guild houses lining the **Grote Markt in Antwerpen**, built in the 16th and 17th century, show how persistent the Gothic tradition was.

Die im 16. und 17. Jh. am **Großen Markt in Antwerpen** erbauten Häuser der Gilden zeigen das Fortbestehen der gotischen Überlieferung.

La **cathédrale Notre-Dame** fut commencée en 1352 par le chœur. Jan Appelmans donna le plus merveilleux mouvement ascensionnel aux piliers qui supportent les reins des voûtes. Une dizaine de maîtres-maçons se succédèrent encore. Finalement, Antoine Keldermans et Dominique de Waghenare survinrent à point, qui, entre 1521 et 1530, conduisirent la tour jusqu'à son sommet de 123 mètres.

The choir of the **cathedral of Notre-Dame** was started in 1352. Afterwards Jan Appelmans gave a marvellous upward sweep to the pillars supporting the arches. Some ten master-masons carried on the work until, between 1521 and 1530, Antoine Keldermans and Dominique de Waghenare built up the tower to its summit of 123 meters.

Het koor van de **O.-L.-Vrouwkerk** werd in 1352 gebouwd. Jan Appelmans gaf aan de pijlers die de gewelven schragen, hun opwaartse beweging. Een tiental meester-metsers volgden elkaar op, tot tenslotte Antoon Keldermans en Dominiek de Waghenare van 1521 tot 1530 de toren op zijn definitieve hoogte van 123 meter brachten.

Der Bau des Chores der **Liebfrauenkirche** wurde 1352 begonnen. Jan Appelmans verlieh den Pfeilern, die die Gewölbezwickel tragen, ihre wundervolle aufwärts strebende Bewegung. Es folgten noch ein kleines Dutzend Baumeister, bis schließlich Antoine Keldermans und Dominique de Waghenare zwischen 1521 und 1530 den 123 Meter hohen Turm errichteten.

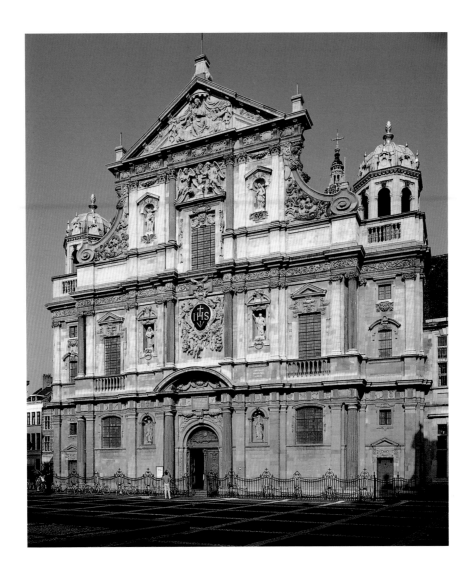

◁

Pierre-Paul Rubens est partout présent à Anvers. Mais son sanctuaire, c'est la maison de style flamand qu'il acquit dans la cité scaldéenne en 1610 et à laquelle il ajouta un atelier, une salle d'exposition et un portique en style baroque italien. Il y vécut et il y œuvra de 1616 jusqu'à sa mort en 1640.

Pieter Paul Rubens is te Antwerpen alomtegenwoordig. Maar zijn heiligdom is het Rubenshuis, een herenwoning die hij in 1610 in de Scheldestad aankocht en waar hij een atelier, een expositiezaal en een portiek in Italiaanse barok liet bijbouwen. Hij leefde en werkte er van 1616 tot zijn dood in 1640.

In Antwerp **Rubens** is omni-present — but nowhere more than in the Flemish-style house which he bought in 1610 and to which he added a workshop, gallery and Italian baroque portico. In this house he lived and worked until his death in 1640.

Peter-Paul Rubens ist in Antwerpen allgegenwärtig. Aber sein Heiligtum ist das Haus im flämischen Stil, das er 1610 in der Scheldestadt erwarb und an das er ein Atelier, einen Austellungssaal und einen Portikus im italienischen Barockstil anbaute. Dort lebte und wirkte er bis zu seinem Tode in 1640.

△

La façade et la tour de l'**église Saint-Charles Borromée** à Anvers, ancienne église des Jésuites, passent pour avoir été dessinées par Rubens (1615-1621).

De **Sint-Carolus-Borromeuskerk** te Antwerpen, voormalige kerk der Jezuïeten. De gevel en de toren zouden door Rubens zijn getekend (1615-1621).

The front and tower of the **church of St. Charles Borromee** are said to have been designed by Rubens (1615-1621).

Die Fassade und der Turm der **St.-Karl-Borromäus-Kirche** sollen von Rubens gezeichnet worden sein (1615-1621).

◁

La grande porte Renaissance d'*El Valenciano*, au 33 de la Zirkstraat à Anvers, s'ouvre sur la cour intérieure. Une galerie du XVIIᵉ siècle fait corps avec le bâtiment qui ne manque pas d'ampleur. Les vastes caves font, d'ailleurs, croire que le bâtiment servit jadis de bourse du sel.

The huge Renaissance door of *El Valenciano* at 33 Zirkstraat in Antwerp opens onto the inner courtyard. A 17th century gallery forms part of this imposing building; the huge cellars may have been used formerly as the salt market.

De grote renaissancepoort van *El Valenciano*, Zirkstraat 33 te Antwerpen, verleent toegang tot een binnenplein. Het vrij indrukwekkende pand bevat o.a. een galerij uit de 17de eeuw en de afmetingen van de kelders laten vermoeden dat het ooit de zoutbeurs is geweest.

Das im Renaissancestil gebaute Tor des *El Valenciano*, 33 Zirkstraße in Antwerpen, führt zum Innenhof des stattlichen Gebäudes, zu dem auch eine Galerie aus dem 17. Jh. gehört. Die Ausmaße der Kellerräume führen zur Annahme, daß an diesem Stapelplatz wahrscheinlich Salz verhandelt wurde.

△

A Anvers, la chapelle gothique de la Nativité de la Vierge, communément appelée **Schoenmakerskapel** (chapelle des cordonniers), appartient à l'ensemble que formait l'ancienne maison-Dieu. Son chœur a reçu une surabondante décoration baroque qui culmine autour de l'autel monumental que surplombe une Vierge de l'Assomption.

The Gothic chapel of the Nativity of the Virgin in Antwerp, commonly known as **Schoenmakerskapel** — the Shoemakers' Chapel — belongs to a group of buildings that made up the old hospital. The choir is decorated lavishly in opulent baroque culminating at the huge altar dominated by the Virgin of the Assumption.

De kapel van O.-L.-Vrouw Geboorte te Antwerpen, in de volksmond de « **Schoenmakerskapel** », maakte vroeger deel uit van een godshuis. De weelderige barokke decoratie van het koor bereikt haar hoogtepunt in het altaar, waarboven de ten hemel opgenomen Moedermaagd troont.

Die Mariä Geburt in Antwerpen gewidmete gotische Kapelle heißt im Volksmund die **Schusterkapelle**. Sie war früher Teil eines Hospizes. Die verschwenderische Formenfülle der Ornamente gipfelt im schwungvollen Barockaltar, über dem die gen Himmel aufsteigende Gottesmutter thront.

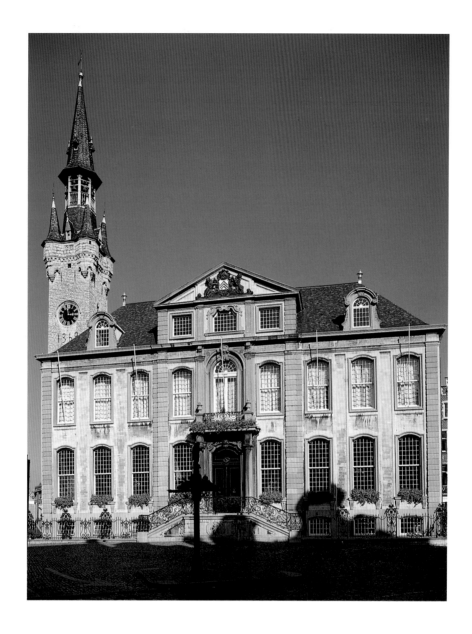

Sur la grand-place de **Lierre**, l'hôtel de ville édifié en 1740 par J.-P. van Baurscheit, le maître anversois de l'architecture rococo, fait contraste avec le beffroi de 1411, vestige de la halle aux draps. L'effet produit par les colonnes de l'entrée, qui supportent le balcon, n'est pas dépourvu de majesté.

Célébré par le romancier local Félix Timmermans, le béguinage de Lierre fut fondé au XIIIᵉ siècle, aux portes de la ville, par trois demoiselles aussi pieuses que fortunées. A la fin du siècle suivant, il abritait quelque 300 béguines. La confiscation des bâtiments par les révolutionnaires français en 1792, fut fatale. Les maisons sont actuellement habitées par des particuliers, notamment des artistes et des écrivains.

The town hall on the main square at **Lier**, built by J.P. van Baurscheit of Antwerp, a master of the rococo style, contrasts with the belfry of 1411, all that remains of the old Cloth Hall. The entrance columns supporting the balcony give it a certain majesty.

Made famous by the local novelist Félix Timmermans, the Beguine convent at Lierre was founded in the 13th century, near the town gates, by three rich and pious young ladies. At the end of the next century, more than 300 Beguines lived there. But the convent closed when the buildings were confiscated by the French revolutionaries. The houses are now inhabited privately, particularly by artists and writers.

Het stadhuis op de Grote Markt van **Lier** werd in 1740 door de Antwerpenaar J.-P. Baurscheit d.J. in rococostijl gebouwd. Het staat vlak naast het Belfort (1411), dat tegen de Lakenhalle was aangebouwd. De zuilen van de ingangspartij en het balkon leveren een majestueuze aanblik op.

Het door de in Lier geboren en getogen dichter Felix Timmermans beroemd geworden begijnhof van Lier werd in de 13de eeuw aan een van de stadspoorten van Lier door drie even vrome als rijke juffrouwen gesticht. Een eeuw later leefden er driehonderd begijnen. De inbeslagneming door Franse revolutionairen in 1792 werd noodlottig voor de instelling. De huizen worden thans bewoond door particulieren, vooral door kunstenaars of schrijvers.

Das Rathaus von **Lier** wurde 1740 vom Antwerpener J.-P. van Baurscheit, einem Meister des Rokoko, errichtet. Es steht in ausgesprochenem Kontrast zum Bergfried (1411), einem Teil des früheren Gewandhauses. Die Säulen am Eingang mit dem auf sie aufruhenden Balkon verleihen dem Ganzen ein vornehm-majestätisches Aussehen.

Das vom zeitlebens dort ansässigen Schriftsteller Felix Timmermans besungene Heim der Beginen in Lier wurde im 13. Jh. von drei gleichermaßen frommen und wohlhabenden Fräuleins vor den Pforten der Stadt gegründet. Am Ende des folgenden Jahrhunderts lebten dort ungefähr 300 Beginen. Die Beschlagnahmung durch die französischen Revolutionäre erwies sich für das Stift als verhängnisvoll. Die Häuser sind jetzt von Privatleuten, meist Künstlern und Schriftstellern, bewohnt.

△
Les murs de l'enceinte à hauts contreforts de l'**abbaye de Tongerlo** rappellent quelque peu ceux de Cluny. Tout comme la tour, ils sont le signe visible de la puissance politique des prélats qui, à l'heure du danger, n'hésitaient pas à lever des troupes.

De omwalling met hoge schoormuren van de **abdij van Tongerlo** doet enigszins denken aan die van Cluny. Net zoals de toren zijn deze muren een teken van de wereldlijke macht van de prelaten, die er in het moment van gevaar niet voor terugdeinsden troepen onder de wapenen te roepen.

The surrounding walls of **Tongerlo Abbey**, with their high buttresses, are slightly reminiscent of those at Cluny. Like the tower, they are the visible manifestation of the political power of the prelates who, in times of danger, did not hesitate to raise an army.

Die mit hohen Strebepfeilern abgestützten Mauern der Einfriedung der **Abtei von Tongerlo** erinnern in gewisser Hinsicht an die von Cluny. Wie der Turm sind sie der sprechende Beweis für die politische Macht der Prälate, die in der Stunde der Gefahr nicht davor zurückschreckten, selber Truppen auszuheben.

▷
L'inscription sur le portail baroque (1671) du **béguinage de Diest** évoque à merveille l'atmosphère préservée de ce refuge du silence : « Jardin clos. Viens dans mon jardin clos, ma sœur, mon épousée ».

De inscriptie boven het barokke portaal (1671) van het **begijnhof te Diest** suggereert op meesterlijke wijze de sfeer die in dit besloten en stille toevluchtsoord heerst : « Besloten hof — Comt in mijnen hof, mijn suster, mijn bruyt. »

The legend on the baroque portal (1671) of the **Beguinage at Diest** evokes wonderfully the protective atmosphere of this quiet refuge : « Secret garden. Come into my secret garden, my sister, my wife. »

Die Inschrift über dem Portal in Barockstil (1671) des **Klosters der Beginen in Diest** beschwört auf eindringliche Weise die wohlbehütete Welt dieses stillen Zufluchtsortes herauf : « Komme in meinen umfriedeten Garten, meine Schwester, meine Braut. »

BESLOTEN·HOF
COMT·IN·MYNEN·HOF
MYN·SVSTER·BRVYT
16   77

▽▷

La **Campine** a la grandeur et la mélancolie des espaces dénudés, des horizons infinis. Tassés sur le sable, les résineux y résistent mieux au vent que les rares feuillus. Aux toitures des fermes, la tuile a remplacé le chaume, mais les murs gardent le soutien des lattes croisées.

En **Hesbaye** et dans les environs de Saint-Trond tout proche, l'air printanier s'embaume de l'odeur vanillée des cerisiers, du parfum plus sucré des pommiers, de la senteur sourde des pruniers.

▽▷

Campine has the grandeur and the melancholy solitude of desolate space and unending horizons. Red tiles may have often replaced the thatched roof of the low farmhouses, but the walls are still supported by crossed slats. Dug into the sand, the conifers resist the wind better than the rare broad leafed trees.

In the **Hesbaye** which lies nearby, as one approaches St. Trond in the spring, the countryside is perfumed by the vanilla-like scent of cherry trees, the sweeter perfume of the apple and the heavy scent of plum.

▽▷

Met hun soms woeste weidsheid, hun eindeloze einde hebben de **Kempen** een ietwat zwaarmachtige grootheid. De tegen het zand aangedrukte naaldbomen blijken beter bestand te zijn tegen de wind dan de zeldzame loofbomen. De daken van de boerderijen zijn niet meer met stro maar met rode tegels bedekt, maar in de muren blijven balken het gebouw steunen.

In de nabije **Haspengouw** en in de buurt van St.-Truiden is de lentelucht doordrenkt van de vanilleachtige geur van de kerselaars, de haast suikerzoete geur van de appelbomen en het heimelijke aroma van de perelaars.

▽▷

In den **Kempen** atmet die Landschaft mit ihren fast grenzenlosen Horizonten noch ungesellige Weite und wehmütige Größe. Die in den Sand geduckten Nadelbäume sind wetterbeständiger als die wenig zahlreichen Laubbäume. Die Strohdächer wurden meist durch rote Ziegeldächer ersetzt, doch schlichtes Fachwerk stützt noch die Mauern der Bauernhöfe.

Ganz in der Nähe liegen der **Hespengau** und St.-Truiden. Da ist die Frühlingsluft geschwängert von Vanillearoma der Kirschblüten, vom süßlichern Duft der Apfelbäume, vom verhaltenen Hauch vom Pflaumenblüten.

Son éloignement des grandes voies historiques de civilisation laissa longtemps la Campine « *fidèle à un humble passé* ». Il y subsiste de vastes réserves naturelles. Dans le musée de plein air du domaine de **Bokrijk** (514 ha) on a remonté et sauvé de la destruction des fermes, des granges, des chapelles et des moulins provenant de provinces flamandes.

As it lay far removed from the mainstream of civilisation, the Campine area was for a long time « *faithful to its humble past* ». Here there are large natural reserves. Farms, barns, chapels and mills from all parts of Flanders have been saved from destruction and reconstructed in the open air museum of the **Bokrijk** estate (1,270 acres).

De Kempen, gelegen een beetje bezijden de historische heirbanen der beschaving, bleven « *trouw aan een nederig verleden* ». Daar bestaan nog uitgestrekte natuurreservaten. In het openluchtmuseum van **Bokrijk** (514 ha) heeft men oude hoeven, schuren, kapellen en molens uit de Vlaamse gouwen samengebracht en zo van vernieling gespaard.

Seine Entfernung von den großen historischen Straßen der Zivilisation ließ das Kempenland lange « *einer demütigen Vergangenheit treu* » bleiben. Dort bestehen noch ausgedehnte Naturschongebiete. Im Freiluftmuseum der Domäne **Bokrijk** (514 ha) wurden Bauernhäuser, Scheunen, Kapellen und Mühlen, die aus flämischen Provinzen stammen, wieder aufgebaut und vor der Zerstörung gerettet.

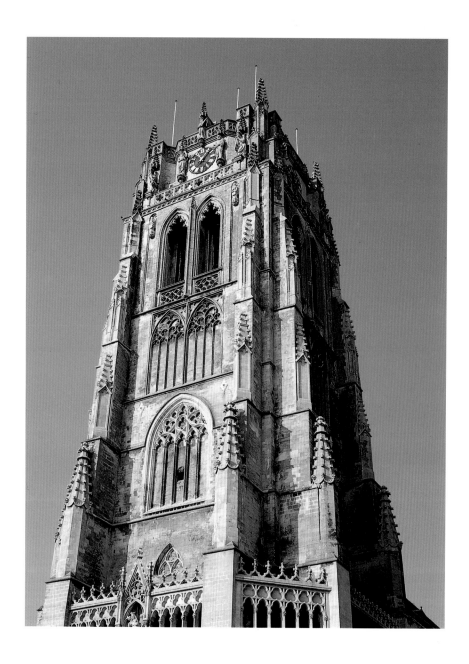

△

Fondée au IXᵉ siècle, l'église Notre-Dame de **Tongres** fut réédifiée au XIIIᵉ siècle, en commençant par la partie rectiligne du chœur (1240). La tour date de 1442-1541; elle articule quatre étages formés de retraits soulignés aux angles par des pinacles.

Ofschoon ze in de 9de eeuw gesticht was, werd de bouw van de huidige O.-L.-Vrouwbasiliek van **Tongeren** pas in de 13de eeuw aangevat. Eerst werd het rechte koorgedeelte gebouwd (1240). De toren dateert van 1442-1541. Hij heeft vier verdiepingen met telkens een versmalling die gemilderd wordt door pinakels.

The church of Notre-Dame in **Tongres**, founded in the 9th century, was rebuilt in the 13th, beginning with the choir (1240). The tower, built between 1442 and 1541, consists of four retreating storeys, emphasized by pinnacles on the corners.

Obschon sie im 9. Jh. gegründet worden war, wurde der Bau der heutigen Liebfrauenbasilika von **Tongeren** erst im 13. Jh. im Angriff genommen. Man begann mit dem gradlinigen Teil des Chors (1240). Der sich allmählig verjüngende Turm entstand zwischen 1442 und 1541; die vier Stockwerke sind an den Ecken durch kleine Fiale markiert.

▷

La réputation de **Maaseik**, sur les rives de la Meuse, est liée à celle des frères van Eyck qui y seraient nés. De surcroît, sur la grand-place plantée de tilleuls, la petite ville principautaire possède de splendides façades de style mosan. D'autres, non moins remarquables, sont dispersées le long des rues.

De aan de Maas gelegen stad **Maaseik** heeft haar bekendheid hoofdzakelijk te danken aan de gebroeders Van Eyck, die er geboren zouden zijn. Rond het marktplein met zijn dubbele rij lindebomen net zoals elders in het vroeger tot het prinsbisdom Luik behorende stadje zijn talrijke zeer fraaie Maaslandse gevels bewaard gebleven.

Maaseik, on the banks of the Meuse, is known principally as the birth place of the van Eyck brothers. On the town square, shaded by lime trees, are splendid Mosan façades and others, just as remarkable, may be found along the neighbouring streets.

Maaseik, an den Ufern der Maas, ist vor allem als vermutlicher Geburtsort der Brüder Van Eyck bekannt. Prächtige Häusergiebel in maasländischem Stil umgeben den Marktplatz mit der schönen Lindenallee und stehen anderwärtig die Straßen entlang.

Sur l'éperon rocheux qui domine la Meuse à **Huy**, les forteresses ont succédé aux forteresses. La dernière en date (1817) ne réussit pas à écraser l'harmonie des proportions de la collégiale du XIVᵉ siècle.

On the rocky spur dominating the Meuse at **Huy**, one fortress has succeeded another. The most recent (1817) does not detract from the harmonious proportion of the 14th century collegiate church.

Door de eeuwen heen is de rotspunt boven **Hoei** door vestingen ingenomen. De laatstgebouwde (1817) heeft de evenwichtige verhoudingen van de collegiale kerk uit de 14de eeuw geenszins kunnen verstoren.

Auf dem felsigen Gebirgvorsprung, der die Maas in **Huy** überragt, folgten Festungen auf Festungen. Die jüngste (1817) konnte das harmonische Ebenmaß der Kollegialkirche aus dem 14. Jahrhundert nicht er-

◁

L'hôtel que Nicolas Willems construisit En Féronstrée, au XVIIIᵉ siècle, reçut le nom du comte d'Ansembourg lorsque la petite-fille du banquier liégeois fit alliance avec cette famille. C'est l'actuel **musée d'art décoratif de Liège**. La richesse de l'ornementation intérieure, notamment celle des plafonds peints, entoure désormais les collections du XVIIIᵉ siècle, qui intègrent avec finesse le style français pour en faire un style Régence liégeois d'une évidente originalité.

Dit in de 18de eeuw door N. Willems in Féronstrée gebouwde herenhuis erfde de naam van de graven van Ansembourg, toen de kleindochter van de bankier in die familie inhuwde. Het is thans het **Decoratiemuseum van Luik**. Pracht en praal van de binnenverzorging, o.a. van de beschilderde plafonds, omkaderen als het ware de verzamelingen uit de 18de eeuw, waarvan de bevalligheid die van de Franse voorbeelden evenaart en een typisch Luiks tintje aan de régencestijl verleent.

The mansion built at Féronstrée in the 18th century by Nicholas Willems, a Liège banker, received the name of the Count of Ansembourg when his granddaughter married into the family. The richness of the interior ornamentation, particularly the painted ceilings, is an adaptation of French style in a highly original Liège Regency manner and serves as a fitting setting for the 18th century collections of the **Museum of Decorative Arts of Liège**.

Das herrschaftliche Haus, das N. Willems im 18. Jh. in Féronstrée baute, erhielt den Namen des Grafen d'Ansembourg, als die Enkelin des Lütticher Bankiers in dessen Familie einheiratete. Heute ist es das **Museum für Dekorationskunst von Lüttich**. Die prachtvolle Innenausstattung mit bemalten Zimmerdecken läßt die angehäuften Kunstgegenstände aus dem 18. Jh. vortrefflich zur Geltung kommen. Die Eleganz des französischen Régencestils erhält hier eine für die Lütticher Gegend typische Prägung.

△

Dressée en 1697 sur la **place du Marché à Liège** par Jean Del Cour, la fontaine du **Perron**, symbole des libertés communales, est dominée par trois Grâces portant la pomme de pin celtique surmontée d'une croix.

Sinds 1697 prijkt op het **Marktplein te Luik** het **Perron**, symbool der gemeentelijke vrijheden. Het werd er opgericht door Jean Del Cour. De groep der drie Gratiën draagt een Keltische denneappel met kruis.

The **Perron** fountain, built in the **Market square of Liège** in 1697 by Jean Del Cour, symbolises the municipal liberties. At the summit, three Graces support a Celtic pine-cone topped with a crucifix.

Den **Perron-Brunnen**, den Jean Del Cour 1697 auf dem **Lütticher Marktplatz** als Sinnbild der städtischen Freiheit errichtete, überragen drei Grazien, die den keltischen Tannenzapfen mit einem Kreuz darauf tragen.

Le commerce des armes a toujours enrichi ceux qui s'y sont livrés. C'est le cas dans la principauté de Liège qui bénéficiait de son statut de neutralité. La fortune considérable de Jean Curtius, munitionnaire des armées espagnoles, banquier du prince-évêque Ernest de Bavière, lui permit de faire construire, de 1600 à 1610, une fastueuse demeure du plus pur style Renaissance mosane. L'horizontalité massive, soulignée par l'usage de la pierre calcaire et de la brique, domine l'édifice. Elle n'est rompue que par une tour de guet qui dépasse le sommet de la haute toiture.

Depuis 1909, la **maison Curtius** héberge les riches collections du musée archéologique de la ville.

De wapenhandel is altijd een bron van rijkdom geweest, tenminste voor de wapenhandelaars. In het neutrale prinsbisdom Luik was dit eveneens het geval. Met zijn aanzienlijk fortuin bouwde Jean Curtius, wapenleverancier van het Spaanse leger en bankier van de prins-bisschop Ernst van Beieren, tussen 1600 en 1610, dit prachtige, voor de Renaissancestijl in de Maasvallei karakteristieke huis. Door het gebruik van kalksteen en bakstenen springen de horizontale lijnen in dit gebouw nog meer in het oog. Ze worden nochtans enigszins afgezwakt door het wachttorentje dat boven het dak uitstijgt.

Sedert 1909 worden in het **Curtiushuis** de rijke verzamelingen van het archeologisch museum bewaard.

Arms dealing has always enriched those who practice it and nowhere more than in the Principality of Liège which enjoyed neutral status. The substantial fortune amassed by **Jean Curtius**, armourer of the Spanish armies and banker to the Prince-Bishop, Ernest of Bavaria, allowed him to construct a luxurious mansion in pure Mosan Renaissance style between 1600 and 1610. Limestone and brick accentuate the massive horizontality of the building, relieved only by the watchtower rising above the steep roof.

Since 1909 it has housed the rich archaeological museum of the city.

Der Verkauf von Waffen hat den Waffenhändlern selbst zum Wohlstand verholfen. Auch im Prinsbistum Lüttich, dessen Neutralität verbrieft war, war dies der Fall. Jean Curtius, der das spanische Heer mit Waffen belieferte und zugleich der Bankier des Fürstbischofs war, konnte sich so zwischen 1600 und 1610 dieses prachtvolle Haus im reinsten Renaissancestil des Maasgebietes bauen lassen. Die Verwendung von Kalk- und Ziegelstein, verleiht den horizontalen Linien ein größeres Übergewicht. Nur das Wachttürmchen, das das Dach überragt erinnert noch an den gotischen Vertikalismus.

Seit 1909 werden die bedeutenden Sammlungen des archeologischen Museums von Lüttich im **Curtiushaus** aufbewahrt.

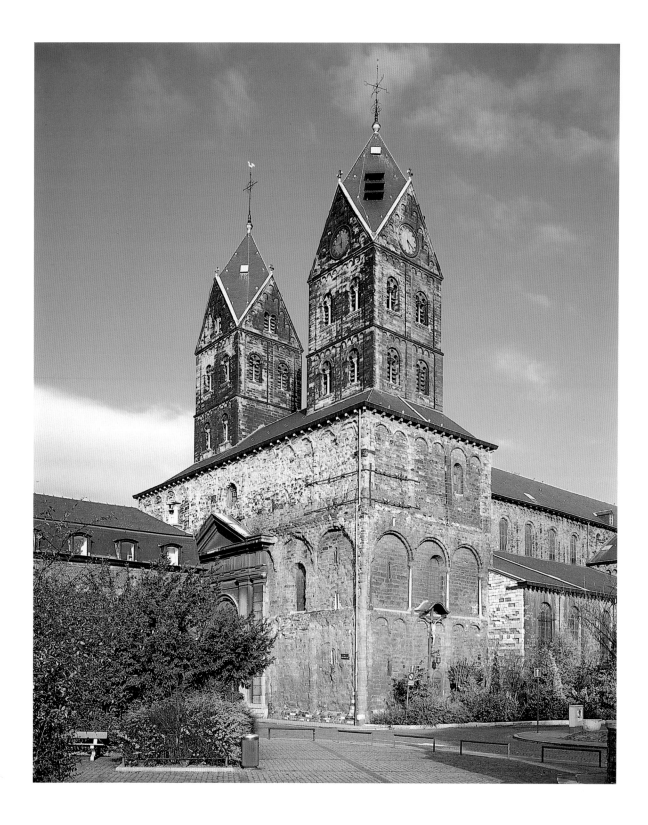

△
Etalé en largeur, l'avant-corps de l'**église Saint-Barthélémy** est un exemple quasi parfait du « massif-coffre » rhéno-mosan du XIIe siècle. Il témoigne d'une conception de l'esprit très différente du verticalisme des « massifs-donjons » du siècle précédent.

With its wide, squat pre-nave, **St. Barthélémy** is a perfect example of massive Rhenish-Mosan box-like architecture of the 12th century. The spatial conception is quite different to the massive vertical towers of the preceding century.

Het breed uitgedijde, massieve westerblok van de **Sint-Bartholomeuskerk** is een typisch voorbeeld van de in de 12de eeuw tussen Rijn en Maas vaak voorkomende voorgebouwen. Ze zien er uit als reusachtige koffers en getuigen van een heel ander ruimtebegrip dan de vertikale, op vestingtorens lijkende voorgebouwen uit de daaraan voorafgaande eeuw.

Die **Sankt-Bartholomäuskirche** mit ihrer breit ongelegten Fassade ist ein typisches Beispiel der im 12 Jh. zwischen Rhein und Maas gängigen Bauart. Anstatt die ein Jahrhundert zuvor übliche vertikale, an den Hauptturm einer Burg erinnernde Form beizubehalten, verleiht man der Fassade nun das Aussehen einer massiven Truhe.

◁◁

Commencée au XVe siècle, l'**église Saint-Jacques** fut achevée durant la première moitié du siècle suivant. Ses nefs, en particulier leurs voûtes, ont bénéficié d'une décoration très riche. Surbaissées, celles-ci sont ornées soit d'un réseau de moulures en treillis, soit de motifs en forme d'étoile, de fleur ou de feuillage.

Begun in the 15th century and completed during the first half of the 16th, **St. Jacques** church boasts richly decorated naves and vaults. The surbased vaults are ornamented either with a network of moulded trellis-work or with star, flower or leaf motifs.

De oprichting van de **St.-Jacobuskerk** begon in de 15de eeuw, maar de kerk werd pas in de eerste helft van de 16de voltooid. De beuken, vooral de beschilderde gewelven geven een zeer weelderig effect. Deze ingebogen gewelven zijn ofwel met lijstwerk versierd ofwel met ster-, bloem- of bladvormige motieven overzaaid.

Der Bau der **St.-Jakobskirche** wurde im 15. Jh. in Angriff genommen, doch das Gotteshaus wurde erst in der ersten Hälfte des 16. Jh. vollendet. Der Innenraum, vor allem die Gewölbe wurden prachtvoll ausgeschmückt. Die recht flach konstruierten Gewölbe sind zum Teil in ein Raster von plastisch gestalteten Rippen eingespannt, zum Teil mit stern-, blumen- oder blattförmigen Motiven bemalt.

△

A Liège, au pied de la Montagne de Bueren, l'impasse des Ursulines débouche sur un bâtiment du **béguinage du Saint-Esprit** (XVIIe siècle), auquel est accolé l'ancien relais de postes à colombages. Cet ensemble architectural a été habilement recréé par l'architecte Francotte.

The Ursulines cul-de-sac at the foot of the « Bueren mountain » in Liège leads to one of the buildings of the 17th century **Holy Ghost Beguinage**, abutting on an old half-timbered post inn. The architectural ensemble has been cleverly rebuilt by the architect Francotte.

De Ursulinenstraat aan de voet van de « Montagne de Bueren » te Luik loopt dood voor het **begijnhof van de Heilige Geest** (17de eeuw), waaraan het oude poststation met vakwerk is aangebouwd. Architect Francotte is er volkomen in geslaagd het gebouwencomplex te doen herleven.

Die Ursulinerinnenstraße am Fuße der Montagne de Bueren in Lüttich endet vor dem **Beginenkloster des Heiligen Geistes** (17. Jh.), an das der Fachwerkbau einer ehemaligen Posthalterei angebaut wurde. Der Architekt Francotte hat das Ganze auf sehr stilvolle Weise restauriert.

▷

Avec ses rues abruptes et ses jardins en terrasses, Liège s'étage sur les coteaux des hauteurs qui la ceignent. Les quatre cents degrés de l'impressionnante **Montagne de Bueren** montent à la citadelle, posée sur l'une des trois collines qui gardent la Cité ardente.

De steile straten van Luik en de op terrassen aangelegde tuinen lopen trapsgewijs op tegen de hellingen van de heuvels die de stad omringen. De vierhonderd treden van de indrukwekkende **Montagne de Bueren** leiden tot de vesting van de stad, gelegen op één van de drie voornaamste heuvels van Luik.

The steep streets and terraced gardens of Liège mount the slope of the surrounding hills. The 400 steps of the impressive « **Bueren mountain** » rise to the Citadel, perched on one of the three hills which guard the « cité ardente ».

Die steilen Straßen und die Terrassengärten der Stadt steigen stufenweise die Abhänge der Hügel hinauf, die Lüttich umschließen. Die imposanten vierhundert Stufen der **Montagne de Bueren** führen zur Festung der Stadt, die sich auf einer der drei Anhöhen ausstreckt, auf denen Lüttich gebaut wurde.

◁

A **Limbourg**, petite ville quiète perchée sur les hauteurs, on imagine malaisément qu'on foule le sol d'une ancienne capitale de duché. Les sobres maisons bourgeoises qui entourent la place n'évoquent en rien la redoutable forteresse d'antan, assiégée par les Normands, les Espagnols et les Français qui la détruisirent en 1703.

In **Limbourg**, a quiet little town perched on a hill, it is hard to imagine that you are treading the soil of the capital of a former Duchy. The austere middle-class houses around the square give no inkling of the formidable fortress of long ago, besieged by the Normans, the Spanish and the French, who destroyed it in 1703.

Als men in het rustige, hooggelegen stadje **Limbourg** rondkuiert, valt het moeilijk zich voor te stellen dat men voet heeft gezet op de bodem van de hoofdstad van een oud hertogdom. De onopvallende herenhuizen rond het plein doen hoegenaamd niet denken aan de schrikwekkende burcht, die achtereenvolgens door de Noormannen, de Spanjaarden en de Fransen werd bestormd, alvorens ze in 1703 door Franse troepen werd vernield.

Es fällt einem schwer, im stillen, auf Anhöhen gelagerten Städtchen **Limbourg** das Gefühl zu haben, daß man den Boden der alten Hauptstadt eines Herzogtums betreten hat. Die unauffälligen Bürgerhäuser, die den Platz umgeben, dürften kaum die Erinnerung wachrufen an die berüchtigte Festung von früher, die von den Normannen, den Spaniern und den Franzosen belagert wurde, bis letztere sie 1703 zerstörten.

△

En l'église romane de **Saint-Séverin-en-Condroz** (XIIᵉ siècle) se mêlent sans jamais se contredire les influences rhénanes et bourguignonnes. Les trois absidioles qui prolongent la travée du chœur et les bas-côtés apportent un élément de charme au robuste édifice clunisien.

The Romanesque church of **Saint-Séverin-en-Condroz** (12th century) is a happy combination of Rhenish and Burgundian influences. The three apsidioles which prolong the bay of the choir and the aisles, add grace to the robust Cluniac edifice.

In de Romaanse kerk van **Saint-Séverin-en-Condroz** (12de eeuw) is een voorbeeld van het harmonieus samengaan van Rijnlandse en Bourgondische invloeden. De drie kleine absissen geven het kloeke klunische bouwwerk een vriendelijker aanzicht.

In der romanischen Kirche in **Saint-Séverin-en-Condroz** (12. Jahrh.) mischen sich widerspruchslos die rheinischen und burgundischen Einflüsse. Die drei Chornischen, die das Chorjoch und die Seitenschiffe verlängern, geben dem kräftigen clunizianischen Bau einen gewinnenden Reiz.

Aux **Fonds-de-Quareux**, l'Amblève a creusé une gorge étroite à travers le massif hercynien couvert de forêts. Arrachés de la montagne par l'action érosive des eaux, les blocs de quartzite sont éparpillés dans le lit de la rivière écumante.

The river Amblève has carved out a narrow gorge through the wooded rocky mass. The **Fonds-de-Quareux**, great blocks of quartz, have been torn from the mountain by the erosive action of the river and lie amid the foaming water.

In de **Fonds-de-Quareux** heeft de Amblève een diepe bergengte uitgegraven in het beboste ertsgebergte. Enorme blokken kwartssteen, door de erosieve werking van het water uit de bergen losgemaakt, liggen verspreid in de bedding van de schuimende rivier.

Im **Fonds-de-Quareux** grub die Amel eine enge Schlucht durch das mit Wäldern bedeckte herzynische Gebirge. Durch die fressende Wirkung der Gewässer vom Berg abgerissen, sind die Quarzablagerungen im schäumenden Flußbett verstreut.

Le carnaval se fêtait à **Stavelot** déjà au début du XVIᵉ siècle puisqu'en 1502, le prince-abbé Guillaume de Manderscheidt interdit à ses moines d'y participer. Certains prétendent que la tenue des Blancs Moussis — vaste cape et bonnet blancs — rappelle la bure immaculée des moines que l'on voulait symboliquement présents aux réjouissances. Quoi qu'il en soit, le dimanche de la *Laetare*, Stavelot appartient à ces fantomatiques personnages au masque à long nez rouge.

In 1502, Prince-Abbot Guillaume de Manderscheidt forbade his monks to participate in the traditional carnival of **Stavelot**. It is thought that the voluminous white capes and hoods of the « Blancs Moussis » represent the spotless cowled frocks of the monks who thus could be represented symbolically in the festivities. Whether this is true or not, on *Laetere* Sunday — third Sunday before Easter — Stavelot belongs to these ghostly, masked characters with long red noses who play pranks on the crowd.

Reeds in het begin van de 16de eeuw werd er in **Stavelot** carnaval gevierd, want reeds in 1502 verbood de abt van prinselijken bloede Willem van Manderscheidt zijn monniken aan het carnavaleske gebeuren deel te nemen. Volgens sommigen herinnert de klederdracht van de Blancs Moussis met hun grote schoudermantels en hun witte mutsen aan de smetteloos witte pijen der monniken, die zodoende, weze het ook niet in eigen persoon, tot de feestvreugde bijdroegen. Wat er ook van zij, op *Laetare* brengen de spookachtige vermonden met hun lange, rode neuzen heel Stavelot in rep en roer.

Bereits zu Beginn des 16. Jh. wurde in **Stavelot** Karneval gefeiert, denn schon 1502 verbot der Abt von fürstlichem Blute Wilhelm von Manderscheidt seinen Mönchen am Karnevalsvergnügen teilzunehmen. Es wird behauptet, das Fastnachtskostüm der Blancs Moussis mit ihren breiten, ärmellosen Mänteln und ihren weißen Kappen erinnere an die makellos weißen Kutten der Mönche, die folglich auch, sei's auch nicht leibhaftig, ihren Beitrag zum Faschingstrubel leisteten. Wie dem auch sei, am Sonntag Lätare (3. Sonntag vor Ostern) greift das Treiben der Fastnachtsgecken mit ihren Larven und ihren langen, roten Nosen auf ganz Stavelot über.

Née des œuvres de l'abbaye fondée en 648 par saint Remacle, **Stavelot** doit toute sa gloire, sa prospérité d'antan et sa fierté aux princes-abbés. La gloire de Stavelot est symbolisée par la rutilante châsse de saint Remacle (vers 1265), sa prospérité provient de l'industrie de la tannerie qui y fut pratiquée jusqu'à ces derniers temps.

Stavelot, which grew around the abbey founded by Saint Remacle in 648, owes its fame, its ancient prosperity and its pride to the prince-abbots. Stavelot's ancient fame is symbolised by the gleaming reliquary of Saint Remacle (about 1265). Its prosperity derived from the tanneries that were still functioning until recently.

Ontstaan rond de abdij, in 648 door de Heilige Remaclus gesticht, is **Stavelot** al zijn roem, zijn welvaart en zijn fierheid verschuldigd aan de prins-abten. De roem van Stavelot is gesymboliseerd in het schitterende schrijn van de Heilige Remaclus (ca. 1265); zijn welvaart vloeit voort uit de leerlooierij-industrie die er tot vandaag nog bloeit.

Wie der gleißende Reliquienschrein des h. Remaklus (um 1265) noch bezeugt, verdankt **Stavelot** den Fürstäbten der 648 vom Heiligen gegründeten Abtei alles : Bekanntheit, einstigen Wohlstand, Selbstbewußtsein. Seine sehr alte Gerberei wurde vor kurzen stillgelegt.

A l'emplacement d'un fond marin de l'époque cambrienne, soulevé puis érodé et abrasé au cours de centaines de millénaires, les **Hautes Fagnes** sont le toit de la Belgique. Elles atteignent près de 700 mètres à Botrange. Exceptionnelles, leur faune et leur flore sont de caractère boréal et montagnard.

Au crépuscule, l'envoûtement des Hautes Fagnes fait resurgir les légendes des tourbières traîtresses ou les souvenirs amoureux du poète Guillaume Apollinaire.

Rising to nearly 700 meters at Botrange, the **Hautes Fagnes** are called « the roof of Belgium », but during the Cambrian period they were a sea bottom which, over hundreds of thousands of years, rose from the depths, was abraded and eroded. The flora and fauna have unusual boreal and mountain characteristics.

At twilight the mysterious atmosphere of the Hautes Fagnes brings to mind tales of treacherous bogs or the amorous memoirs of Guillaume Apollinaire.

De **Hoge Venen** — ten tijde van het Cambrium een lap zeebodem — zijn in de loop der millenia ten gevolge van prehistorische bodemopheffingen, erosie en abrasie ontstaan. Thans worden ze terecht het dak van België genoemd. Bij Botrange liggen ze zowat 700 m boven de zeespiegel. De uitzonderlijke fauna en flora doen denken aan het hoge Noorden en aan bergstreken.

Wie denkt niet, als de avond valt, aan de bedrieglijke veenderijen uit de legenden of aan de gestalten voor wie G. Apollinaire en J. Perk hier in liefde ontvlamden?

Im Kambrium war die Gegend des **Hohen Venns** noch Meeresgrund. Im Laufe der Jahrtausende der Vorgeschichte entstand hier durch Erdbewegungen, -abtragungen und -erosion das « Dach Belgiens », das sich bei Botrange nahezu 700 m über dem Meeresspiegel erhebt. Tier- und Pflanzenwelt weisen Übereinstimmungen mit denen nordischer und gebirgiger Gegenden auf.

Bei Sonnenuntergang denkt man unweigerlich an die verräterischen Torfgruben, von denen die Legenden weiß, oder an Guillaume Apollinai

◁◁

Du château de **Reuland**, berceau d'une des plus anciennes familles féodales de l'Eifel, il demeure une tour qui surplombe les toits d'ardoises du village tassé autour de son église au clocher bulbeux (1712).

Van het kasteel van **Reuland**, bakermat van een van de oudste feodale families uit de Eifel, bestaat nog een toren die uitziet over de leistenen daken van de dorpshuizen, geschaard rond de kerk met bolvormige klokketoren (1712).

Of the castle in **Reuland**, which was the seat of one of the oldest feudal families in the Eifel region, all that is left is a tower which dominates the slate roofs of the village and the church with its bulbous tower (1712).

Von der Burg in **Reuland**, der Wiege eines der ältesten Feudalgeschlechter der Eifel, besteht noch ein Turm, der die Schieferdächer des um seine Kirche mit dem Zwiebelturm (1712) gescharten Dorfes überragt.

▽

Il est peu de paysages aussi pathétiques et aussi vrais que la **crête du Hérou**, à quelques lieues du confluent des deux Ourthes. Les collines paraissent se bousculer autour des bras multiples de la rivière.

Geen pathetischer en tegelijk geen onvervalster landschap dan de **bergkam van Hérou**, niet ver van de samenloop der beide Ourthes. De heuvelruggen schijnen zich rond de talrijke armen der rivier te verdringen.

There is in Belgium no more moving landscape than the **Hérou ridge**, a few miles from the junction of the two Ourthe rivers. Here the hills seem to jostle for space among the multiple arms of the river.

Es gibt wenig so ergreifende und gleichzeitig so urtümliche Landschaften wie den **Hérou-Kamm**, einige Meilen vom Zusammenfluß der beiden Ourthen entfernt. Die Hügel scheinen sich buchstäblich um die zahlreichen Arme des Flusses zu drängen.

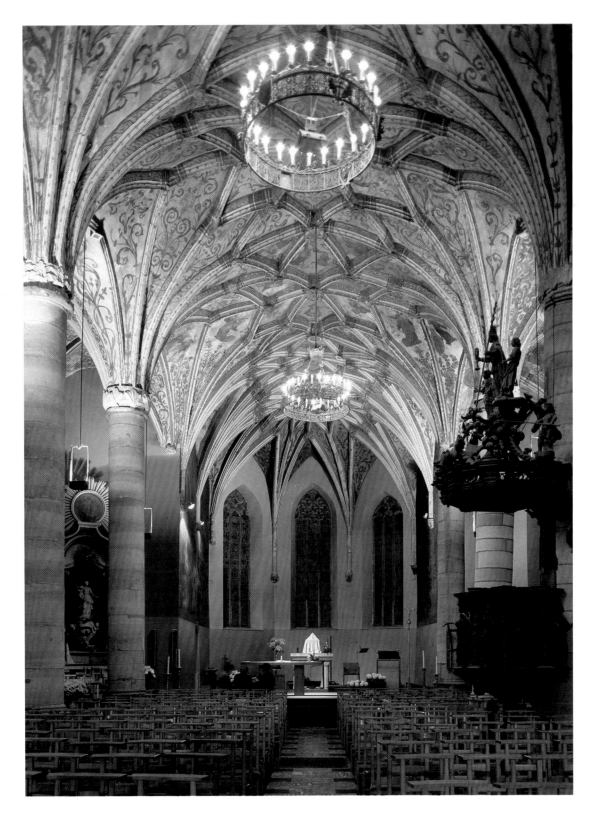

Ce fut probablement l'abbaye de Prüm qui fonda, au VIIIe siècle, la première église paroissiale de **Bastogne**. L'actuelle église Saint-Pierre de style ogival primaire a connu de nombreux remaniements. Très caractéristique et décorative, la voûte qui recouvre les trois nefs multiplie les nervures élégantes dans le goût du XVIe siècle.

It was probably Prüm Abbey which founded, in the 8th century, **Bastogne**'s first parish church. The present St. Peter's church, in the early Gothic style, has undergone many changes. The very characteristic and decorative vault covering the three naves multiplies the elegant ribs in 16th century taste.

De eerste parochiekerk van **Bastenaken** werd hoogst-waarschijnlijk in de 8ste eeuw door de abdij van Prüm gesticht. De huidige Sint-Pieterskerk in de stijl van de vroegere gotiek werd herhaaldelijk verbouwd. Over de drie beuken van het erg typische gewelf breidt een smaakvol web van boogribben in de trant van de 16de eeuw zich uit.

Wahrscheinlich war es die Abtei von Prüm, die im 8. Jh. die erste Pfarrkirche von **Bastogne** gründete. Die heutige Sankt-Petruskirche in frühgotischem Stil wurde wiederholt umgebaut. Das sehr typische, zierliche Gewölbe der drei Schiffe wurde dem Geschmack des 16. Jh. entsprechend mit einem Netz von feinen Rippen überzogen.

Nichée dans une courbe de l'Ourthe, face à de splendides rochers aux plissements parallèles, la petite ville de **Durbuy** peut se vanter d'être au cœur d'une région habitée depuis les temps les plus reculés.

Nestled in a curve of the river Ourthe, facing an impressive rock formation with parallel folding, the small town of **Durbuy** prides itself on being the centre of a region that has been inhabited since the earliest times.

Diep weggedoken in een bocht van de Ourthe, uitziend op schitterende rotsformaties, ligt het stadje **Durbuy** in het hart van een streek die erop kan bogen sinds mensenheugnis bewoond te zijn.

In einer Kurve der Ourthe gegenüber prächtigen Felsen mit gebogenen Falten eingenistet, kann sich das Städtchen **Durbuy** rühmen, im Herzen einer seit den ältesten Zeiten bewohnten Gegend zu liegen.

Non loin de Paliseul où Paul Verlaine séjournait chez ses tantes pendant les vacances, le village ardennais de **Dochamps** tasse autour de l'église ses maisons aux toits d'ardoise. L'architecture rurale en est stricte, rugueuse, sans prétention comme l'âme des habitants.

Niet ver van Paliseul, waar Paul Verlaine zijn vakantie bij tantes placht door te brengen, ligt het Ardense dorp **Dochamps**. De landelijke bouwstijl van de huizen, die zich als het ware met hun leien daken rond de kerk verdringen, weerspiegelt de ietwat stroeve, strenge eenvoud van de bewoners.

The rural architecture of the little Ardennes village of **Dochamps**, not far from Paliseul where Paul Verlaine passed his holidays with his aunts, reflects in its slate roofed houses grouped around the church the same honest, sturdy and unpretentious character as its inhabitants.

Das Ardenner Dorf **Dochamps** liegt nicht weit von Paliseul, wo der Dichter P. Verlaine die Ferien bei seinen Tanten zu verbringen pflegte. Die Häuser mit ihren Schieferdächern sind dicht an dicht um die Kirche herum gebaut. Der schlichte, fast herbe, alles Großtuerische vermeidende Baustil spiegelt den Charakter der Bewohner.

◁

Envahies de marjolaines et de campanules, les ruines du château féodal de **La Roche-en-Ardenne** font corps avec le roc. Parmi les tours qui les hérissent, celle des Sarrasins devrait sa solidité à un mortier à base de farine de seigle.

De ruïnes van het feodaal slot van **La Roche-en-Ardenne** gaan schuil onder een tapijt van marjolein en campanula's en vormen een geheel met de rotsen. De toren der Sarazijnen zou zijn sterkte te danken hebben aan een speciale mortel op basis van roggemeel.

Overgrown with bluebells and marjoram, the ruins of the feudal castle of **La Roche-en-Ardenne** seem to be part of the rocks on which it was built. Of its several towers, the Saracen tower is said to owe its solidity to the fact that it was built with mortar made of rye flour.

Von Majoran und Glockenblumen überwuchert, bildet die Ruine der Burg **La Roche-en-Ardenne** ein Ganzes mit dem Felsen. Unter ihren Türmen soll derjenige der Sarazenen seine Dauerhaftigkeit einem Mörtel aus Roggenmehl verdanken.

▷

Rivière fantasque, se contorsionnant en replis infinis, la Semois parcourt une terre de légende, peuplée de fées et de nutons. Le long de ses rives et les dominant, les villages alignent leurs maisons sur des terrasses de rochers. Les fermes y sont souvent d'anciens manoirs, comme à **Dohan** (1619).

De Semois is een grillige rivier die zich in talloze bochten en bochtjes wringt, terwijl ze door een streek stroomt die rijk is aan legenden vol feeën en kabouterachtige « nutons ». Langs de oevers liggen de dorpen en kijken de vaak op rotsterrassen gebouwde huizen op de rivier neer. Zoals hier in **Dohan** zijn veel boerderijen vaak kasteeltjes (1619).

The capricious, serpentine Semois river coils its tortuous way through a land of legend, peopled by fairies and gnomes. Villages built on rocky terraces dominate its banks. Farms such as that at **Dohan**, built in 1619, are often old manors.

Die grillenhalfte Semois windet und krümmt sich wie eine Schlange, während sie durch eine Gegend strömt, in der — so sagt es die Legende — Feen und Kobolde ihr Wesen bzw. Unwesen treiben. Die Ufer entlang strecken sich die Dörfer aus und schauen die oft auf felsigen Vorsprüngen gebauten Häuser auf den Fluß hinab. Wie hier in **Dohan** sind manche Bauernhöfe erhalten gebliebene Schlößchen.

Peu de vitraux du XVe siècle ont survécu aux destructions des guerres. Celui de l'église luxembourgeoise de **Sensenruth** est d'autant plus précieux. Il représente avec une émouvante naïveté le Christ en croix entre la Vierge et saint Jean aux larges auréoles.

Few stained glass windows from the 15th century have survived the destruction of war. The one in the Luxembourg church at **Sensenruth** is therefore all the more precious. With a moving naïvety it shows Christ on the cross between the Virgin Mary and Saint John, each under a wide halo.

Daar heel weinig gebrandschilderde ramen uit de 15de eeuw de oorlogen hebben overleefd, is de kerk van **Sensenruth** in de provincie Luxemburg des te waardevoller. De Gekruisigde is er met een ontroerende eenvoud afgebeeld tussen sint Jan en de met een brede stralenkrans omgeven Moeder Maagd.

Wenige bemalte Kirchenfenster des 15. Jh. haben die Zerstörungen der Kriege überlebt. Darum ist dieses hier, das sich in der Kirche von **Sensenruth** befindet, um so wertvoller. Wir sehen darauf den Gekreuzigten zwischen der Gottesmutter und dem heiligen Johannes, deren Häupter mit einem breiten Glorienschein umrandet sind.

De tous les sites d'entre-Semois-et-Vierre, celui de **Chassepierre** a le plus inspiré les peintres de la Gaume. Caché dans une gorge encaissée, le village doit être vu de haut. Les toits d'ardoise font alors une harmonieuse escorte à l'église romane Saint-Martin qui a reçu, en 1702, un clocher bulbeux baroque.

Of all the sites between the Semois and the Vierre, the one at **Chassepierre** has the most inspired the painters of Gaume. Hidden in a steep-sided gorge, the village needs to be seen from above. From here the slate roofs blend harmoniously with the Romanesque Saint Martin Church, to which was added, in 1702, a bulbous baroque bell-tower.

Van alle tussen de Semois en de Vierre gelegen landschappen heeft **Chassepierre** de schilders van de Gaume, het uiterste Zuiden van België, het meest geïnspireerd. Als men het tussen insluitende bergengten verscholen dorp vanuit de hoogte bekijkt, bevalt het beter. De leien daken harmoniëren dan met de Romaanse Sint-Maartenskerk, die in 1702 van een barokke, bolvormige toren werd voorzien.

Von allen Landschaften zwischen der Semois und der Vierre haben **Chassepierre** und Umgebung am öftesten Maler aus dem äußersten Süden Belgiens zu Werken angeregt. Man sollte sich das sozusagen in einer Schlucht eingeklemmte Dorf von oben ansehen. Dann sind die Schieferdächer völlig im Einklang mit der romanischen Sankt-Martins-kirche, die 1702 mit einem barocken Zwiebelturm ausgestattet wurde.

◁◁

Des hauteurs de Botassart l'on découvre un fabuleux spectacle : le **Tombeau du Géant**, presqu'île boisée enserrée par la Semois, au centre d'un *« gouffre immense de verdure où la forêt déferle jusqu'au plus lointain horizon... dans une solitude absolue, parmi les remous des crêtes »* (Adrien de Prémorel).

From the heights of Botassart, the visitor has a particularly impressive view of the **Giant's Tomb**, a wooded peninsula enclosed by the Semois, amid *« a vast green chasm, with forest reaching to the furthermost horizon... in perfect solitude, among the undulating crests »*.

Vanaf de hoogten van Botassart ziet men een adembenemend schouwspel : het **Graf van de Reus**, een bomenrijk schiereiland, omstroomd door de Semois, temidden van *« een geweldige groene kloof, waar het woud zich tot aan de einder ontrolt, in een volmaakte eenzaamheid, tussen de welvende heuvelkammen »*.

Von den Höhen von Botassart aus entdeckt man einen fabelhaften Anblick : das sogenannte **Grab des Riesen**, eine von der Semois eingeschlossene, bewaldete Halbinsel, inmitten eines *« riesigen grünen Abgrundes, wo sich der Wald bis zum fernsten Horizont ausbreitet... in einer absoluten Einsamkeit, auf den Hängen der Gebirgsrücken »*.

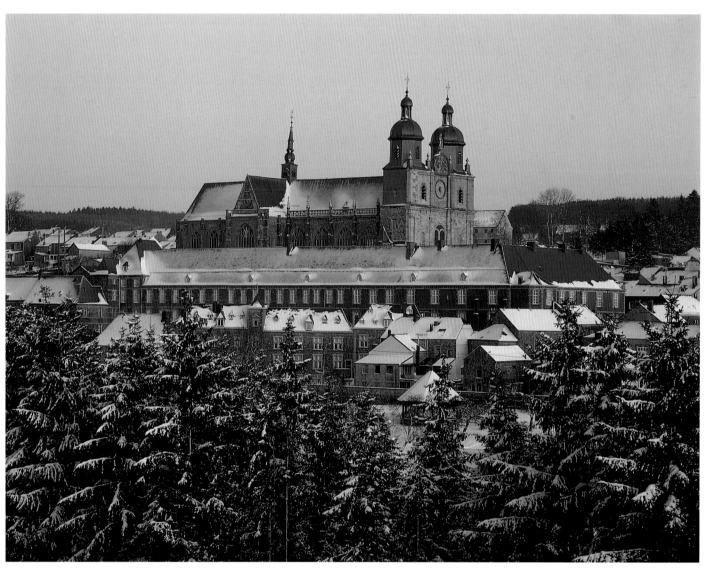

△

La basilique de **Saint-Hubert** (1526-1564) occupe l'emplacement d'un sanctuaire du XIIe siècle qui, sauf la crypte, brûla dans l'incendie de 1524. En 1560, les calvinistes s'acharnèrent sur l'abbaye gothique et saccagèrent la façade de l'église. Au tout début du XVIIIe siècle, lassé d'offrir aux pèlerins l'image de murs lépreux et de pierres déchaussées, l'abbé Clément Lefèvre cacha la façade gothique sous un revêtement en pierre bleue. Le style classique était à la mode ; il nous paraît bien austère, en dépit de la grâce des statues de Jean Del Cour.

The basilica of **Saint-Hubert**, dating from 1526-1564, was built on the site of a 12th century sanctuary which, except for the crypt, was burnt out completely in the fire in 1524. In the year 1560, the Calvinists attacked the Gothic abbey and destroyed the facade of the church. Early in the 18th century, Abbot Clement Lefèvre, who hated to show the pilgrims the dank walls and crumbling stones of his church, covered the Gothic front with blue stone. The classical style was in vogue at the time, but to our eyes it looks unduly austere, in spite of Jean Del Cour's graceful statues.

De basiliek van **Saint-Hubert** (1526-1564) staat precies op de plaats van een vroeger heiligdom uit de 12de eeuw dat — behalve de krocht — onderging in de brand van 1524. In 1560 bestormden de calvinisten de gotische abdij, en vernielden de gevel van de kerk. In het begin der 18de eeuw was abt Clément Lefèvre het beu aan de pelgrims alleen geblaakte muren en gebarsten steen te tonen. Hij bekleedde de gotische gevel met blauwe steen. De klassieke stijl was mode. Ondanks de elegantie der beelden van Jean Del Cour doet de gevel eerder stug aan.

Die Basilika von **Saint-Hubert** wurde 1526-1564 erbaut und steht an der Stelle einer Kirche aus dem 12. Jh., die mit Ausnahme der Krypta 1524 niederbrannte. 1560 machten sich die Kalvinisten über die gotische Abtei her und verwüsteten die Fassade der Kirche. Zu Beginn des 18. Jh. war Abt Clément Lefèvre es leid, den Pilgern das Bild der schadhaften Mauern und lockeren Steine zu zeigen, und er verbarg die gotische Fassade unter einer Verkleidung aus belgischem Marmor. Der klassische Stil war damals Mode ; er scheint uns reichlich streng trotz der Ammut der Statuen von Jean Del Cour.

△
La longue nef gothique de l'église de **Saint-Hubert** est séparée de ses bas-côtés par des piliers nervurés, dépourvus de chapiteaux. Le remplage du triforium se prolonge jusque dans les écoinçons des arcatures. Le chœur, très profond, est surélevé et surmonte une crypte où était vénérée la châsse de saint Hubert aujourd'hui disparue.

The long Gothic nave of the church in **Saint-Hubert** is separated from its aisles by ribbed pillars, without capitals. The triforium backing extends into the spandrels of the arcades. The deep chancel is raised over a crypt where the reliquary of Saint-Hubert used to be worshipped before it disappeared.

De lange hoofdbeuk van de kerk van **Saint-Hubert** is door geribde pilaren zonder kapitelen van de zijbreuken gescheiden. De opvulling van het triforium reikt tot aan de blindboogjes die als hoekversiering dienen. Het lange koor is verhoogd en verheft zich boven een crypte waar het thans zoek geraakte reliekschrijn van de heilige Hubertus werd vereerd.

Das lange gotische Mittelschiff der Kirche von **Saint-Hubert** ist durch Bündelpfeiler ohne Kapitelle von den Seitenschiffen getrennt. Die Mauerfüllung des Triforiums dringt bis in die Eckverblendung mittels Bogenwerk vor. Das erhöhte, sehr lange Chor erhebt sich über einer Krypta, in der der inzwischen abhanden gekommene Reliquienschrein des heiligen Hubertus verehrt wurde.

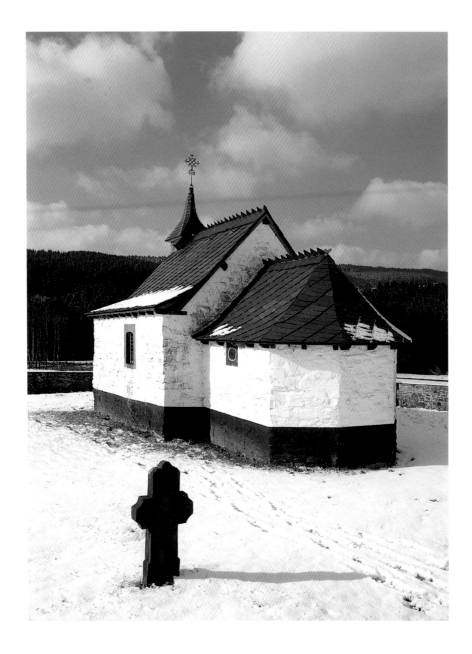

(Pages 108 à 111)
Jouxtant le Fourneau Saint-Michel, ancien complexe métallurgique, un **musée de la Vie rurale** a été créé le long de la Masblette. Il permet de reconstruire avec les matériaux d'origine, soigneusement démontés, maintes maisons ardennaises qui étaient condamnées à la destruction.

(Pages 108 to 111)
A **Museum of Rural Life** has been established next to the Fourneau Saint-Michel, an ancient metal works on the banks of the Masblette. Many old houses from the Ardennes, doomed to destruction, have been carefully dismantled and reconstructed using the original material.

(Blz. 108 tot 111)
Dicht bij Fourneau St.-Michel, een buiten bedrijf gesteld ijzerindustriecomplex, werd langs de oevers van de Masblette een **museum van het plattelandsleven** in het leven geroepen. Met hun oorspronkelijke bouwmaterialen kunnen talrijke Ardense huizen, die anders de pikhamer ten prooi waren gevallen, er een tweede bestaan leiden, nadat ze heel zorgvuldig zijn afgebroken en hier opnieuw zijn opgericht.

(S. 108 bis 111)
In unmittelbarer Nähe des stillgelegten Hüttenbetriebs Fourneau St.-Michel wurde die Ufer der Masblette entlang ein **Museum des bäuerlichen Lebens** eingerichtet. Zahlreiche, sorgfältig Stein um Stein abgebrochene Häuser aus den Ardennen, die sonst niedergerissen worden wären, sind hier mit den ursprünglichen Bauermaterialien zu einem neuen Leben wiedererstanden.

▽

Bâtie au début du XIᵉ siècle et agrandie en 1260 par l'abbé Allard de Hierges (qui ajouta le chœur), l'église d'**Hastière-par-Delà** faisait partie d'un prieuré qui dépendait de la proche abbaye de Waulsort. Très semblable et d'ailleurs contemporaine de l'église de Celles, elle repose comme elle sur une crypte, a les mêmes arcades à faibles saillies et des tourelles d'escaliers qui flanquent la tour carrée et massive.

Built at the beginning of the 11th century and enlarged in 1260 by Abbot Allard de Hierges (who added the choir), the church of **Hastière-par-Delà** was part of a priory belonging to the nearby abbey of Waulsort. Very similar to the church of Celles and erected in the same period, it is also built over a crypt, has the same low arches and stairturrets on each side of the massive square tower.

De kerk van **Hastière-par-Delà** werd opgericht in het begin der 11de eeuw en in 1260 vergroot door abt Allard de Hierges (die het koor bouwde). Ze behoorde tot een priorij die afhing van de naburige abdij van Waulsort. Ze vertoont veel gelijkenis met de kerk van Celles; ze dateert trouwens uit dezelfde tijd. Beide rusten op een crypte, beide hebben dezelfde arkaden met kleine uitsprong en traptorentjes die de centrale vierkante toren flankeren.

Die Kirche von **Hastière-par-Delà** wurde zu Beginn des 11. Jahrhunderts erbaut und 1260 durch Abt Allard de Hierges (der das Chor hinzufügte) erweitert; sie gehörte zu einer Propstei, die von der in der Nähe gelegenen Abtei Waulsort abhing. Der gleichaltrigen Kirche von Celles sehr ähnlich, ruht sie wie diese auf einer Krypta, besitzt die gleichen Arkaden mit geringen Vorsprüngen und Treppentürmchen zu beiden Seiten des massiven viereckigen Turmes.

▷

Le corps de logis, les tours et les tourelles du château de **Walzin** (XIIIᵉ siècle), restauré en 1932, semblent le prolongement naturel de la muraille rocheuse qui se dresse, à pic, le long de la Lesse.

The main wing, towers and turrets of the castle of **Walzin** (13th century), which was restored in 1932, seem to be a naturel extension of the sheer rockface rising from the river Lesse.

Het hoofdgebouw, de toren en de torentjes van het kasteel **Walzin** (13de eeuw) zijn in 1932 gerestaureerd, maar lijken de natuurlijke voortzetting van de rotsachtige, steile boorden van de Lesse.

Der Hauptbau, die Türme und Türmchen des Schlosses **Walzin** (13. Jh.), das 1932 restauriert wurde, scheinen die natürliche Verlängerung der Felswand zu sein, die sich senkrecht längs der Lesse erhebt.

△ ▷

Charles-Alexis de Montpellier, seigneur d'**Annevoie**, avait la nostalgie de Versailles et la passion des jardins à la française. Au XVIIIe siècle il construit une demeure de style classique à côté d'une vieille tour privilégiaire du XVe siècle. Davantage encore que le château, les jardins fleuris, les charmilles bien taillées et les frondaisons romantiques font la renommée d'Annevoie.

Charles-Alexis de Montpellier, heer van **Annevoie**, trachtte het ideaal van Versailles en de Franse tuinarchitectuur na te streven. In de 18de eeuw bouwde hij een woning in klassieke stijl naast een oude, als privilege toegekende toren uit de 15de eeuw. Meer nog dan het kasteel dragen de tuinen met volle bloemperken, de keurig gesnoeide heggen en lieflijke boomgroepen bij tot de roem van Annevoie.

Charles-Alexis de Montpellier, the lord of **Annevoie**, had a passion for Versailles and for formal French gardens. In the 18th century he built a classical mansion next to an old 15th century tower. But Annevoie is known particularly for its flower-gardens, well-trimmed arbours, and romantic greenery.

Charles-Alexis de Montpellier, Herr auf **Annevoie**, schwärmte für Versailles und Gärten im französischen Stil. Im 18. Jh. baute er neben einem alten Turm aus em 15. Jh. ein Wohnhaus im klassischen Stil. Mehr noch als dem Schloß verdankt Annevoie seinen blumenreichen Gärten, beschnittenen Laubengängen und romantischen Gartenanlagen seinen Ruf.

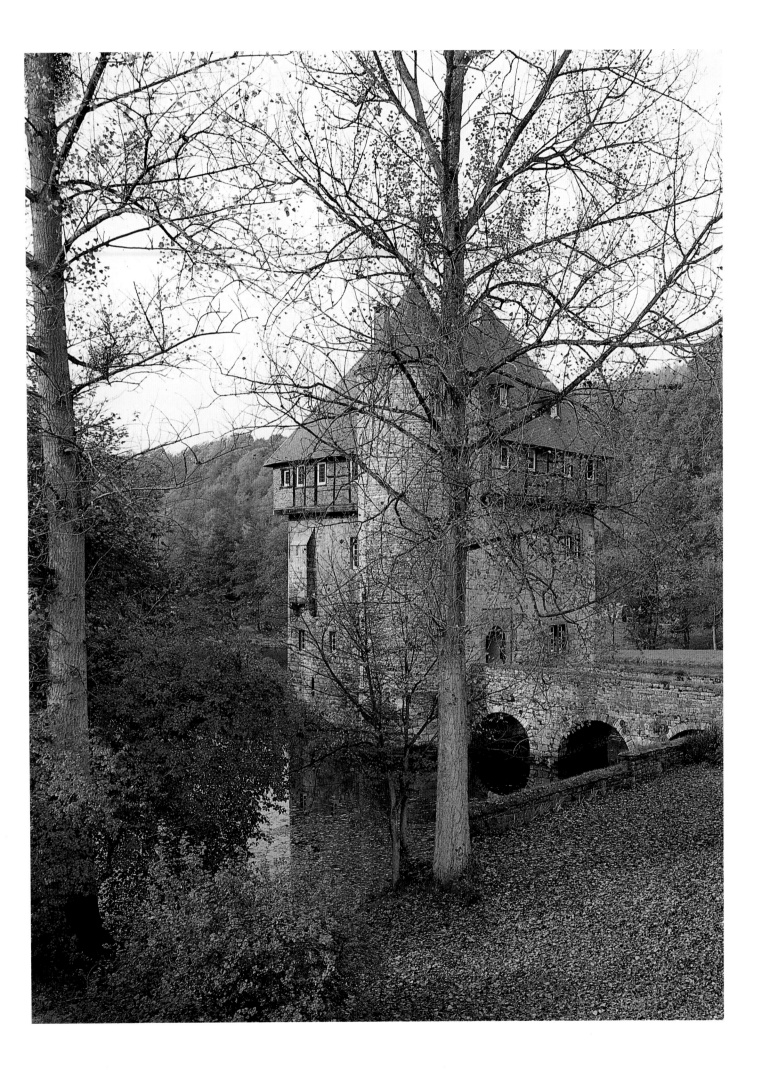

◁◁

Au donjon de **Crupet**, qui semble dater du XIVᵉ siècle, le XVIᵉ apporta un gracieux couronnement et colombage. Il dresse sa silhouette carrée sur le miroir d'eau formé par le Crupet, affluent du Bocq.

The keep of **Crupet** is believed to date from the 14th century but was topped in the 16th century with a graceful timbered upper storey. Its squat outline is reflected in the waters of the Crupet, a tributary of the river Bocq.

De vestingtoren van **Crupet** dateert waarschijnlijk uit de 14de eeuw. In de 16de eeuw werd er een verdieping met vakwerk aan toegevoegd. De toren weerspiegelt zich in het water van de Crupet, een zijarm van de Bocq.

Dem Wartturm von **Crupet**, der aus dem 14. Jh. zu stammen scheint, brachte das 16. Jh. eine anmutige Fachwerkkrönung. Er erhebt über dem Wasserspiegel des Crupet, eines Nebenflusses des Bocq, seine eckige Gestalt.

△

Précédé de deux volées d'escalier qui encadrent la fontaine du Neptune cracheur, un coteau couvert de charmes et de tilleuls monte vers le pavillon *Frederic Saal* en style Louis XVI. Construit en 1774-1775, en prévision de la visite au château de **Freyr** de l'archiduchesse Marie-Christine, gouvernante des Pays-Bas, ce bâtiment n'est pas sans parenté avec le pavillon de chasse du Nymphenburg.

A double ramped staircase framing a fountain with a spouting Neptune stands before a slope planted with hornbeam and lime trees which ascends to the *Frederic Saal* pavilion in Louis XVI style. Built in 1774-75 in anticipation of a visit to **Freyr** by the Archduchess Marie-Christine, governor of the Low Countries, this building has a certain resemblance to the hunting lodge at Nymphenburg.

Terwijl de symmetrische trap op de voorgrond de waterspuiende Neptunus als het ware omkadert, gaat de met hagebeuken en lindebomen beplante glooiing zachtjes de hoogte in en leidt tot voor het paviljoen *Frederic Saal* in Lodewijk-XVI-stijl. Het werd in 1774-75 ter gelegenheid van het bezoek gebouwd dat aartshertogin Maria-Christina, de toenmalige landvoogdes der Nederlanden, aan het kasteel van **Freyr** bracht. Het paviljoen doet denken aan het jachthuis van Nymphenburg.

Im Vordergrund umschließt die Treppe mit Zwillingslauf einen wasserspeienden Neptun. Dahinter steigt das mit Weißbuchen und Lindenbäumen bestandene Gelände sanft an und führt zum Pavillon *Frederic Saal* im Stile Louis-seize, das an das Jagdschloß in Nymphenburg erinnert. Der Pavillon wurde 1774-75 anläßlich des Besuchs errichtet; den die Erzherzogin und Statthalterin der Niederlande Maria-Christina in **Freyr** abstattete.

Descendant tumultueusement de Falmignoul, les eaux du Colébi creusèrent jadis une impressionnante série de marmites dans les masses rocheuses qui surplombent la rive droite de la Meuse. Ces gorges sauvages enchantent les alpinistes qui escaladent les **rochers de Freyr**. Au pied de la pente plus douce de l'autre rive, le château se laisse escorter par des jardins géométriques dessinés en 1760, dans le style de Le Nôtre. L'aile qui longe le fleuve date de 1571.

In their tumultuous descent from Falmignoul, the waters of the Colébi have carved out an impressive series of pot-holes in the giant rocks overlooking the West bank of the Meuse. These wild gorges have become one of the favourite hants of rockclimbers. On the opposite riverbank, where the slope is not so steep, **Freyr** Castle stands in the midst of lovely gardens of geometric design, laid out in the style of Le Nôtre. The wing closes to the river dates from 1571.

Tijdens haar luidruchtige afdaling van Falmignoul groef de Colebi eertijds een indrukwekkende reeks uithollingen in de rotsmassa op de rechteroever van de Maas. Deze woeste engten zijn een trekpleister voor de bergklimmers, die de **muur van Freyr** opklauteren. Aan de voet van de zachte helling op de andere oever ligt het kasteel, omgeven door in 1760 in Le Nôtre-stijl getekende tuinen. De vleugel langs de stroom dagtekent van 1571.

Einstmals gruben die von Falmignoul herabstürzenden Wasser des Colébi eine eindrucksvolle Reihe von Kesseln in den Felsenmassen, die das rechte Ufer der Maas überragen. Diese wilden Schluchten begeistern die Bergsteiger, die auf die **Freyrfelsen** klettern. Am Fuße des sanfteren Abhangs auf dem gegenüberliegenden Ufer liegt das Schloß mit seinen 1760 im Le Nôtre-Stil gezeichneten geometrischen Gärten. Der Schloßflügel längs des Stromes stammt aus dem Jahre 1571.

◁◁

Longue rue de quatre kilomètres, jalonnée par la collégiale gothique et dominée par la forteresse, **Dinant** a oublié le temps où elle faisait trembler ses voisins. Elle se contente de défier les mâchoires de ses visiteurs et leur offrant ses fameuses *couques au miel,* de formes variées.

Dinant consists chiefly of a long street, almost three miles long, enhanced by the Gothic collegiate church and dominated by the fortress. Dinant has forgotten the times when it awed its neighbours, being content nowadays to challenge the visitors' teeth with its honey cakes which are baked in a host of different shapes.

Met zijn 4 km lange straat waaraan de collegiale kerk in gotische stijl is gelegen en beschermd door zijn vesting, was **Dinant** eens de schrik van de naburige steden. Nu is het nog slechts de schrik van de bezoekers die hun tanden moeten wagen aan de befaamde honingkoeken.

Dinant besteht aus einer vier Kilometer langen Straße, an der eine gotische Stiftskiche steht, die von einer Festung überragt wird. Jetzt hat es die Zeit vergessen, wo seine Nachbarn vor ihm zitterten. Heute begnügt sich Dinant damit, die Kinnbacken seiner Besucher auf die Probe zu stellen, indem es ihnen seine bekannten *couques mit Honig* in verschiedener Form anbietet.

△

Dédiée à saint Hadelin, l'église de **Celles** (XIe siècle) est un type remarquable de sanctuaire roman rural. Elle repose sur deux cryptes, ses arcades sont à faible saillie et deux tourelles d'escalier flanquent le clocher massif.

Dedicated to St. Hadelin, the 11th century church of **Celles** is an outstanding example of the rural Romanesque sanctuary. It has two crypts and shallow arches, and the massive bell-tower is flanked with two stairturrets.

De kerk van **Celles** (11de eeuw), gewijd aan sint Hadelinus, is een merkwaardig type van landelijk-romaanse kerkbouw. Het gebouw rust op twee onderaardse gewelven, de bogen zijn vlak en twee traptorentjes klimmen naast de massieve klokketoren omhoog.

Die dem heiligen Hadelin geweihte Kirche in **Celles** (11. Jahrh.) ist ein bemerkenswertes Beispiel romanischer Dorfkirchen. Sie ruht auf zwei Krypten, ihre Bogengänge stehen wenig hervor, und zwei Treppentürme flankieren den massiven Glockenturm.

△

Reconstruit en 1622, autour d'un robuste donjon du XIIIᵉ siècle, qui a résisté à tous les assauts, le château fort de **Spontin** a gardé son aspect défensif moyenâgeux. Le pont-levis franchit toujours les eaux limpides du Bocq qui remplissent les douves.

Reconstructed in 1622 around a robust 13th century keep that had resisted every assault, the castle of **Spontin** has retained its defensive mediaeval character. The drawbridge still spans the clear waters of the river Bocq which serves as the moat.

De burcht van **Spontin** die in 1622 rond een sterke vestingtoren uit de 13de eeuw werd herbouwd en alle aanvallen afsloeg, heeft volkomen zijn middeleeuws, defensief karakter bewaard. De ophaalbrug weerspiegelt zich nog immer in het water van de Bocq dat de slotgracht vult.

Die 1622 um einen starken Wachtturm aus dem 13. Jahrhundert, der alle Angriffe überstand, wiederaufgebaute Burg **Spontin** behielt ihr mittelalterliches Gesicht. Die Zugbrücke überragt noch immer die klaren Gewässer des Bocq, der die Wassergräben füllt.

Les églises de style classique n'abondent pas en Belgique. L'une des plus belles, tout en gardant un mouvement baroque, est incontestablement la **cathédrale Saint-Aubain de Namur**, édifiée de 1751 à 1763, selon les plans de l'architecte italien Gaetano Pizzoni. L'emplacement du dôme, à la croisée du transept, et la puissance des colonnes qui rythment les travées assurent une grande noblesse à l'édifice.

De classicistische kerken in België zijn haast op de vingers van een hand te tellen. De **St.-Aubain kathedraal te Namen** is een der mooiste, al verneemt men er nog een naklank van barokke onstuimigheid. Ze werd tussen 1751 en 1763 volgens plannen van de Italiaan Gaetano Pizzoni gebouwd. De koepel boven de viering van deze kruiskerk en de kloeke pilaren, die het ritme van de binnenruimte bepalen, wekken een indruk van verhevenheid en plechtstatigheid.

There are not many churches in the classical style in Belgium and one of the most handsome, though with minor baroque elements, is undoubtedly the **cathedral of Namur**. Saint Aubain was built between 1751 and 1763 following the plans of an Italian architect, Gaetano Pizzoni. The dome placed on the transept crossing and the powerful columns delineating the bays give a great nobility to the building.

In Belgien gibt es nur sehr wenige Kirchen in klassizistischem Stil. Die **Kathedrale St.-Aubain in Namur**, in der der barocke Schwung noch sozusagen nachschwingt, ist eine der schönsten. Sie wurde von 1751 bis 1763 nach Plänen des Italieners Gaetano Pizzoni errichtet. Die Kuppel über der Vierung und die wuchtigen, in rhythmischer Hinsicht wirkungsvollen Pfeiler strahlen erhabene Größe aus.

Point de confluence de la Meuse et de la Sambre, confinant à la Hesbaye, au Condroz et au Pays noir d'où descendent de nombreuses routes, **Namur** avait jadis pour mission de ravitailler les coches d'eau et les bacs naviguant vers Liège et Maastricht. La cité naquit à partir du Champeau, vaste promontoire qui darde son éperon entre le fleuve et la rivière. Successivement forteresse néolithique, celtique, romaine, médiévale, moderne, sa citadelle connut des sièges célèbres — dont celui de Louis XIV en 1696 — avant d'être reconstruite par les Hollandais en 1817.

Namen ligt aan de samenloop van Maas en Samber. Hier grenzen tevens drie streken aan elkaar: Haspengouw, Condroz en het « Pays noir », de mijn- en industriestreek langs de Samber met haar talrijke toevoerwegen. Vroeger diende de stad als aanlegplaats voor ponten en koggeschepen op weg naar Luik of Maastricht. Ze nam haar uitbreiding rond de Champeau, een tussen de twee rivieren vooruitspringend rotsgevaarte. De citadel, achtereenvolgens een neolithische, Keltische, Romeinse, middeleeuwse en moderne vesting, werd herhaaldelijk belegerd, o.a. in 1696 door Lodewijk XIV. In 1817 werd ze door de Hollanders heropgebouwd.

Namur, at the confluence of the Meuse and the Sambre, is a cross-roads and borders the Hesbaye, the Condroz and the Black Country. The city, founded on the Champeau, a spur of land thrusting between the two rivers, formerly supplied the horse-drawn barges and the ferries going to Liège and Maastricht. Its citadel, successively a neolithic, Celtic, Roman, mediaeval and now a modern fortress, has undergone many notable sieges, particularly that of Louis XIV in 1696. It was rebuilt by the Dutch in 1817.

Namur liegt am Zusammenfluß der Maas und der Sambre. Hier grenzen ebenfalls drei Gebiete aneinander: Haspengau, Condroz und das « Pays noir », das Industriegebiet die Sambre entlang, mit zahlreichen, zu den früheren Kohlenzechen führenden Straßen. Fähren und Koggen, die nach Lüttich oder Maastricht unterwegs waren, legten früher in Namur an. Die Stadt entwickelte sich um Champeau herum. Dies ist der ausgedehnte Felskegel, der sich wie ein Keil zwischen die zwei Flüsse schiebt. Oben auf diesem Kegel erhebt sich die Zitadelle. Schon im Neolithikum, dann zur Zeit der Kelten und der Römer, im Mittelalter und in der Neuzeit gab es hier eine Festung, die oft, z. B. 1696 von Ludwig XIV., belagert wurde. 1817 wurde sie von den Holländern wieder aufgebaut.

Erigé en 1752 par François-Philippe Freneau, comte de Gomegnies, le château d'**Attre** offre une façade sobre, de goût français, entre deux pavillons de style Louis XVI. Une large pelouse a remplacé l'ancienne cour pavée où, les jours de grande réception, piaffaient les chevaux des carrosses.

Built in 1752 by François-Philippe Freneau, Count de Gomegnies, **Attre** château presents a restrained French style façade flanked by two Louis XVI pavilions. A large lawn has replaced the old paved courtyard where carriage horses once stamped and snorted.

Het in 1752 door Frans-Filips Freneau, graaf van Gomegnies, gebouwde kasteel van **Attre** bestaat uit een hoofdgebouw in sobere Franse stijl tussen twee Lodewijk-XVI-paviljoens. De vroeger geplaveide koer, waarop de paarden toen ter gelegenheid van grote recepties stonden te trappelen, is nu door een uitgestrekt bloemperk vervangen.

Das 1752 in französischem Stil von F.-Ph. Freneau, Graf von Gomegnies, gebaute Schloß von **Attre** besteht aus einem fast schmucklosen Hauptgebäude nach französischem Muster zwischen vorgezogenen Pavillons im Stile Louis-seize. Der früher gepflasterte Hof, auf dem die Gespanne bei festlichen Empfängen anzufahren pflegten, wurde in eine große Rasenfläche umgewandelt.

La décoration intérieure d'**Attre** fut achevée par le fils du constructeur, François-Ferdinand qui fut chambellan de l'empereur Joseph II. Sur les murs du salon de réception, les trophées en relief alternent avec les peintures attribuées à Hubert Robert. Le mobilier est d'époque, tout comme la cheminée Louis XV en marbre de Rance.

The interior decoration of **Attre** was completed by the builder's son, François-Ferdinand, chamberlain to Emperor Joseph II. Trophies in relief alternate with paintings attributed to Hubert Robert in the main drawing room. The furniture is of the period as is the Louis XV mantelpiece in Rance marble.

De binnenverzorging van **Attre** kwam pas klaar ten tijde van Frans-Ferdinand, zoon van Frans-Filips en kamerheer van keizer Jozef II. Op de muren prijken trofeeën met verheven beeldwerk en aan H. Robert toegeschreven schilderijen. De meubels zijn 18de-eeuws net zoals het uit Rance komende marmer van de schouw in Lodewijk-XV-stijl.

Franz-Ferdinand, dem Sohn des Bauherrn und Kammerherrn Kaiser Josephs II., verdankt **Attre** die Vollendung seiner Innenausstattung. Trophäen mit erhabener Arbeit sowie H. Robert zugeschriebene Gemälde schmücken die Empfangsräume. Die Möbel und der mit Marmor aus Rance ausgelegte Kamin im Stile Louis-XV sind ebenfalls aus dem 18. Jh.

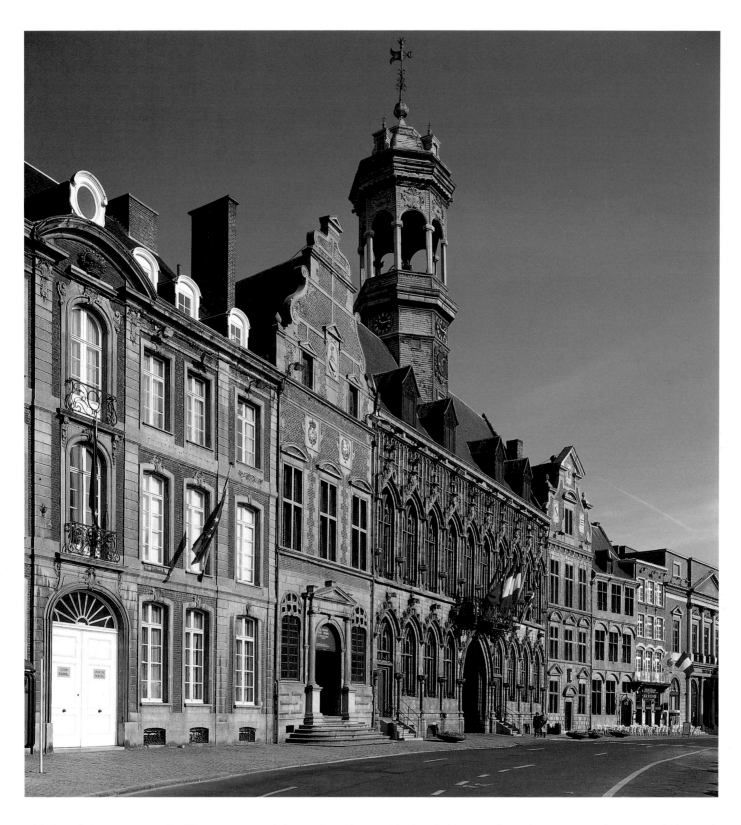

Mathieu de Layens, très actif à **Mons**, a composé l'élégant décor de l'hôtel de ville en gothique flamboyant (1458). Au XVIIIe siècle, les combles réaménagés ont été surmontés d'un clocheton. Quant à l'ancienne bretèche aux proclamations, elle a été remplacée, en 1777, par un modeste balcon en fer forgé.

Mathieu de Layens, very active in **Mons**, designed the elegant decor of the Town Hall in a flamboyant Gothic style (1458). In the 18th century a pinnacle was added to the restyled roof. And the old bartizan where proclamations were made has been replaced in 1777 by a simple wrought iron balcony.

Matthijs de Laeyens, die in **Bergen** een werkzaam aandeel aan de stand van zaken op het vlak van de bouwkunst heeft gehad, maakte het ontwerp van het op elegante wijze versierde stadhuis in flamboyante gotiek (1458). In de 18de eeuw werd de kapconstructie verbouwd en van een dakruiter voorzien. De ooit voor plechtige afkondigingen gebruikte erker werd in 1777 door een bescheiden balkon van smeedijzer vervangen.

Der damals in **Mons** sehr eifrig tätige Mathieu de Layens hat 1458 die elegante Ausstattung des Rathauses im Flamboyantstil entworfen und verwirklicht. Im 18. Jh. wurde dem umgebauten Dachstuhl ein Türmchen hinzugefügt. Der Erker, von dem aus die öffentlichen Proklamationen erfolgten, wurde 1777 durch einen bescheidenen Balkon mit Eisengitter ersetzt.

▽

D'où provient le **singe du Grand-Garde**? On affirme qu'il figurait sur un ancien pilori pour enfants délinquants (XVe siècle). Mais rien ne le prouve. En revanche, son crâne poli confirme qu'on le caresse régulièrement. Pour le célibataire, ce serait l'assurance d'un mariage dans l'année.

Waar komt de bronzen **aap van de « Grand-Garde »** (Grote Bewaker) genoemde toren vandaan? Hij zou vroeger op de schandpaal voor misdadige kinderen (15de eeuw) hebben gestaan, maar er is geen overtuigend bewijs. Zijn gladde kop wijst er daarentegen op dat hij steeds weer gestreeld wordt, hetgeen, beweert de legende, voor de vrijgezellen een huwelijk in de loop van het jaar tot gevolg zou hebben.

Where does the bronze **Grand-Garde monkey** come from? Some say it used to be on an old pillory for delinquant children (15th century), but there is no evidence to prove this. However, its shiny head proves that it is stroked regularly. Doing this is supposed to be a guarantee for the single person that he or she will be married within the year.

Woher wohl der **Affe** aus Erz stammt, der die Grand-Garde (Große Wache) ziert? Man behauptet, er habe sich schon auf dem Schandpfahl für jugendliche Missetäter (15. Jh.) befunden, doch das ist nicht erwiesen. Dagegen beweist die Glätte seines Kopfes, daß man nicht vergißt, ihn zu streicheln. Dem Jungesellen soll dies eine Heirat während des darauf folgenden Jahres verbürgen.

△

Le **beffroi** du XVIIe siècle et son clocher bulbeux prolongent la colline sur laquelle est bâtie la ville de Mons.

Het **belfort** uit de 17de eeuw met zijn klokketoren met bolvormige spits ziet uit over de heuvel waarop Bergen gebouwd is.

The 17th century **belfry** and its bulbous bell-tower seem to extend the hill on which Mons is built.

Der **Bergfried** aus dem 17. Jahrhundert und sein zwiebelförmiger Glockenturm verlängern den Hügel, auf dem die Stadt Mons gebaut ist.

Au bout d'une longue allée de hêtres deux fois séculaires, le château princier de **Belœil** a gardé sa forme primitive de quadrilatère irrégulier. Les ailes et les portillons d'entrée sont restés intacts, tels que les a laissés le XVIIIᵉ siècle. L'intérieur raconte les fastes des princes de Ligne et abrite des collections inestimables. Et dans les jardins où la fantaisie l'emporte souvent sur l'ordonnance classique, on ne s'étonnerait pas de rencontrer le feld-maréchal Charles-Joseph de Ligne, le diplomate le plus spirituel du siècle le plus léger.

(Double page suivante.) Ouvert sur le vestibule du château de Belœil, le salon des Maréchaux s'apparente à une salle de musée. Des boiseries aux armes de Claude-Lamoral II de Ligne encadrent des tapisseries de Beauvais.

Standing at the end of a long avenue of bicentenarian beeches, the princely castle of **Belœil** has retained its original lay-out in the shape of an irregular square. The wings and entry-gates have remained intact since the 18th century. The castle contains mementoes of the de Ligne Princes as well as invaluable works of art. In the grounds, imagination often triumphs over classical design, a fitting setting for Field-Marshal Charles-Joseph de Ligne, the wittiest diplomat of the most lighthearted century.

(Next two pages.) The Marshals' Salon, opening off the vestibule of Belœil castle, is like a museum. Panelling bearing the arms of Claude-Lamoral II de Ligne frames Beauvais tapestries.

Aan het einde van een meer dan 200 jaar oude beukenlaan ligt het kasteel **Belœil**, met zijn oorspronkelijke plattegrond van een onregelmatige vierhoek. De vleugels en ingangsdeuren zijn nog intakt, sinds de 18de eeuw. Binnen herleeft de pracht en praal van de prinsen de Ligne. Er zijn vele voorwerpen van onschatbare waarde te bezichtigen. En in de tuinen, waar de fantasie dikwijls de overhand heeft op de klassieke orde, zou men haast verwachten plots de veldmaarschalk Charles-Joseph de Ligne tegen te komen, de geestigste aller diplomaten uit het lichtzinnigste tijdperk der geschiedenis.

(Volgende dubbele bladzijde.) De vlak naast de vestibule van het kasteel van Belœil gelegen ontvangzaal der maarschalken heeft het voorkomen van een museumzaal. Aan weerskanten van de wandtapijten uit Beauvais prijkt het blazoen van Claude-Lamoral II op de lambrizering.

Am Ende einer langen, zweihundertjährigen Buchenallee hat das Fürstenschloß **Belœil** seine ursprüngliche, unregelmäßige Viereckform behalten. Flügel und Eingangspförtchen sind unangetastet geblieben, wie das 18. Jahrhundert sie hinterlassen hatte. Das Innere erzählt die Ruhmestaten der Fürsten von Ligne und beherbergt unschätzbare Sammlungen. In den Gärten, in denen die Phantasie die klassische Anordnung oft übertrifft, würde man sich nicht wundern, den Feldmarschall Karl-Joseph von Ligne, den geistreichsten Diplomaten des leichtfertigsten Jahrhunderts, zu treffen.

(Nächste Doppelseite.) Der Empfangssaal der Marschälle im Schloß von Belœil liegt gleich neben der Vorhalle und sieht aus wie ein Museum. Die mit dem Wappen Claude-Lamorals II. geschmückte Holzverkleidung umrahmt die Wandteppiche aus Beauvais.

Tournai partage avec Tongres le titre de plus ancienne ville de Belgique. Vers 275, la construction de la chaussée romaine unissant le Rhin à la mer du Nord lui permit de contrôler une véritable patte d'oie de routes. Lorsque, vers 431, les Francs saliens déferlèrent sur la région, Clodion s'installa dans la cité scaldéenne. Ce fut l'origine d'une des trois dynasties de France.

Entre 1110 et 1141 commença la construction de la cathédrale. Sommet de l'architecture romane, Notre-Dame frappe d'abord par le puissant faisceau des cinq tours, qui couronne la croisée du transept.

Quand au plus ancien beffroi belge, érigé à la fin du XIIᵉ siècle mais souvent remanié, il semble défier la cathédrale.

Met Tongeren is **Doornik** de oudste stad van België. De aanleg van een Romeinse heirbaan tussen Rijn en Noordzee rond 275 bracht met zich mee dat Doornik een knooppunt in een ingewikkeld verkeersnet werd. Toen omstreeks 431 de Saliërs de streek veroverden, vestigde Chlodio zich in de Scheldestad. Zo werd de stad de bakermat van een der Franse vorstenhuizen.

Tussen 1110 en 1141 begon de bouw van de O.-L.-Vrouwekathedraal, een van de hoogtepunten van de romaanse bouwkunst. Wat vooral opvalt is de bundel gevormd door de vijf massale torens die viering en dwarsbeuk bekronen.

In de buurt staat, bijna uitdagend, het oudste belfort van België. Het werd op het einde van de 12de eeuw opgetrokken maar herhaaldelijk herbouwd.

Tournai shares with Tongres the title of the oldest city of Belgium. Construction of the Roman road linking the Rhine to the North Sea in 275 gave it control of a web of routes. When the Salian Franks invaded the region in 431, Chlodion set up his court in the Scaldian city, founding one of the three dynasties of France.

Construction of the cathedral began between 1110 and 1141. Notre-Dame, one of the jewels of Romanesque architecture, impresses the viewer first of all by the powerful grouping of its five towers, crowning the transept crossing.

Built at the end of the 12th century, but often remodelled, the oldest belfry in Belgium seems to challenge the cathedral.

Tournai ist mit Tongeren die älteste Stadt Belgiens. Der Bau einer römische Heerstraße zwischen Rhein und Nordsee um 275 herum machte Tournai zu einem wichtigen Verkehrsknotenpunkt. Als die salischen Franken um 431 das Gebiet überrannten, erwählte Chlodio die Stadt zum Regierungssitz. So wurde sie die Wiege eines der französischen Herrschergeschlechter.

Zwischen 1110 und 1141 begann der Bau der Liebfrauenkirche, eines der Juwelen der romanischen Baukunst. Die fünf wuchtigen Vierecktürme, welche die Vierung von Lang- und Querhaus krönen bew. umschließen, sind äußerst eindrucksvoll.

Der im 12. Jh. entstandene, oft umgebaute älteste Bergfried Belgiens steht fast herausfordernd der Kathedrale gegenüber.

△
Notre-Dame de Tournai, le plus bel édifice religieux du pays, abrite tellement d'œuvres d'art qu'on a tendance à passer distraitement sous les vitraux qui ornent notamment l'hémicycle du transept. Ils ont été parfaitement restaurés par le maître verrier Capronnier.

Notre-Dame of Tournai, the finest religious edifice in the country, houses so many works of art that we tend to pass unheeding beneath the stained glass windows which adorn, notably, the hemicycle of the transept. These were perfectly restored by the master glass craftsman Capronnier.

De **O.-L.-Vrouwekathedraal van Doornik**, het mooiste kerkgebouw van België, bevat zoveel schoons dat men wel eens geneigd zou kunnen zijn de glas-in-loodramen, die o.a. het halfronde uiteinde van het dwarsschip tooien, maar weinig aandacht te gunnen. Ze werden op meesterlijke wijze gerestaureerd door de meesterglazenier Capronnier.

Die **Liebfrauenkirche von Tournai** ist das schönste kirchliche Gebäude des Landes. Sie ist so reich an Kunstschätzen, daß man geneigt ist, zerstreut an den Kirchenfenstern im Halbrund des Querschiffes vorbeizugehen. Der Glasmalermeister Capronnier hat sie auf vollkommene Art restauriert.

▷
La perspective de la nef centrale, longue de 134 mètres, de la cathédrale de Tournai est coupée, au niveau du transept, par l'ambon du sculpteur anversois Corneille Floris qui le termina en 1573.

In the Cathedral of Tournai, the view of the middle nave, which is 134 metres long, is interrupted at the transept by the ambo of the Antwerp sculptor Corneille Floris who completed it in 1573.

Het perspectief van de 134 m lange hoofdbeuk van de kathedraal van Doornik wordt, ter hoogte van de kruisbeuk, onderbroken door een oksaal van de Antwerpse beeldhouwer Cornelis Floris (1573).

Die Perspektive des 134 Meter langen Mittelschiffs der Tournaier Kathedrale ist auf der Höhe des Querschiffs durch den Lettner des Antwerpener Bildhauers Corneille Floris geteilt, der ihn 1573 fertigstellte.

▽

Le premier château de **Rumbeke** fut construit par Baudouin Bras de Fer au IXe siècle. L'actuel manoir, défendu par sept tours octogonales, fut achevé au milieu du XVIe siècle.

The first castle at **Rumbeke** was built by Baudouin Bras de Fer in the 9th century. The present manor, which has seven octagonal towers, was completed in the middle of the 16th century.

Het eerste kasteel van **Rumbeke** werd in de 9de eeuw door Boudewijn met de IJzeren Arm gebouwd. De bouw van het huidige, beveiligd door zeven achthoekige torens, werd beëindigd in het midden van de 16de eeuw.

Das erste Schloß **Rumbeke** wurde im 9. Jh. von Balduin mit dem eisernen Arm gebaut. Der von sieben achteckigen Türmen geschützte Landsitz wurde im 16. Jh. fertiggestellt.

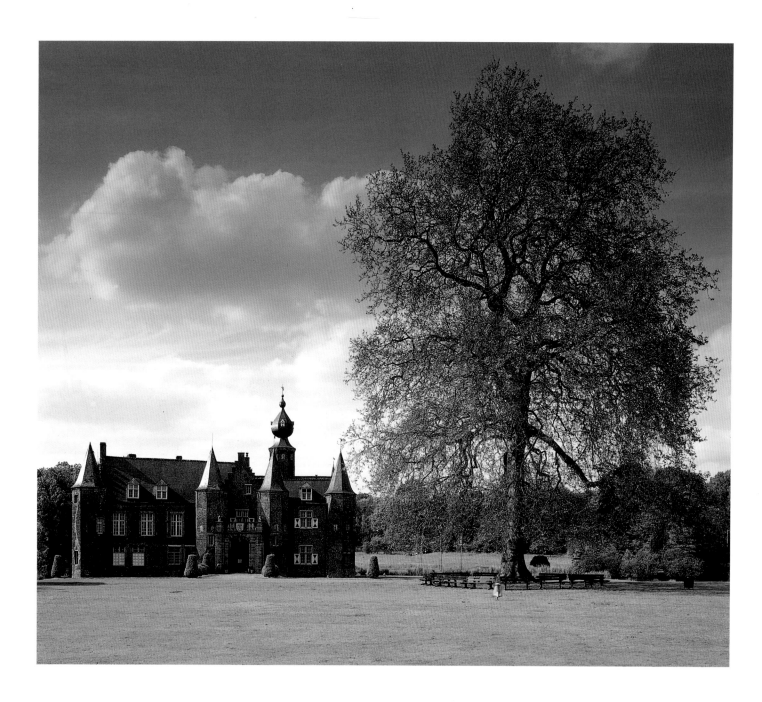

▷

Courtrai devait sa renommée à l'industrie drapière. Son béguinage Sainte-Elisabeth, l'un des plus séduisants de Flandre, rappelle le souvenir du poète Guido Gezelle qui, de 1871 à 1899, fut vicaire à l'église Notre-Dame.

Courtrai owes its fame to the cloth industry. Its beguinage of St.-Elisabeth, one of the most attractive in Flanders, recalls memories of the poet Guido Gezelle, who was a vicar here, at the church of Our Lady, from 1871 to 1899.

Kortrijk heeft zijn roem aan de lakennijverheid te danken. Het Sint-Elizabeth-begijnhof, een van de meest aantrekkelijke hofjes in Vlaanderen, doet ons denken aan de dichter Guido Gezelle, die van 1871 tot 1899 kapelaan was van de Onze-Lieve-Vrouwekerk.

Kortrijk verdankte seinen Ruf der Tuchweberei. Sein Beginenhof der heiligen Elisabeth, einer der reizvollsten Flanderns, weckt die Erinnerung an den Dichter Guido Gezelle, der 1871-1899 Vikar der Liebfrauenkirche war.

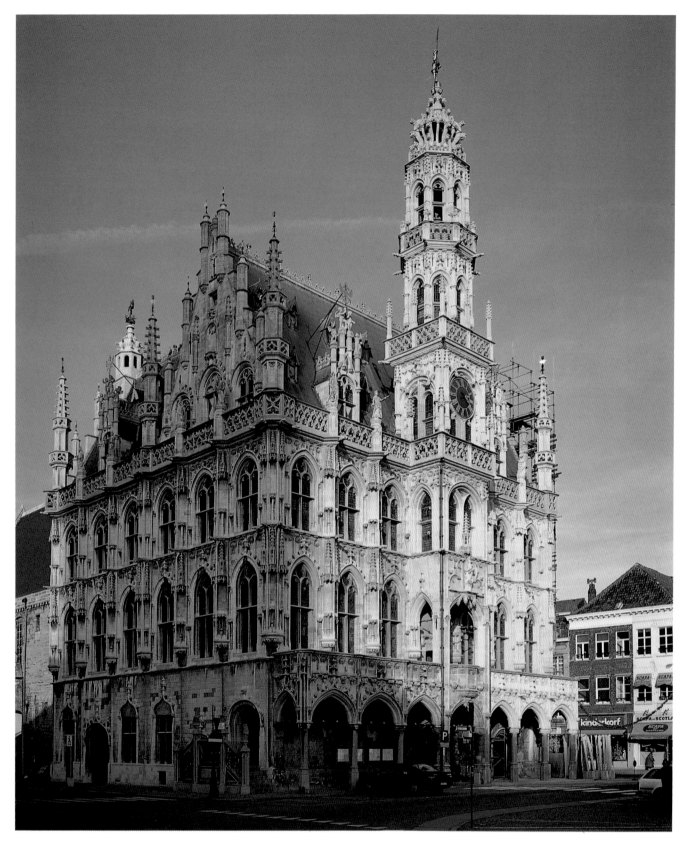

Par sa structure et son décor surabondant, l'hôtel de ville d'**Aude-narde** (1526-1537) appartient au gothique flamboyant. Son beffroi en saillie unit avec bonheur toutes les lignes et tous les plans. Au sommet de la tour, une coupole ajourée représente la couronne impériale de Charles Quint.

By its structure and rich ornamentation, the Town Hall of **Ouden-aarde** (1526-1537) belongs to the Flamboyant Gothic. The sweeping belfry has the happy effect of uniting all the lines and levels of the edifice. At the top of the spire, a openwork cupola represents the imperial crown of Charles the Fifth.

De structuur en het overladen sierwerk van het stadhuis van **Ou-denaarde** (1526-1537) zijn hooggotiek. Het uitspringende Belfort bindt alle lijnen en vlakken van de gevel op gelukkige wijze samen. De toren is bekroond met de keizerlijke kroon van Keizer Karel.

Mit seiner Struktur und seinen überreichen Verzierungen gehört das **Oudenaarder Rathaus** (1526-1537) zum spätgotischen Stil. Der vorgezogene Bergfried vereinigt in glücklicher Weise alle Linien und alle Ebenen. Auf der Turmspitze stellt eine durchbrochene Kuppel die Kaiserkrone Karls V. dar.

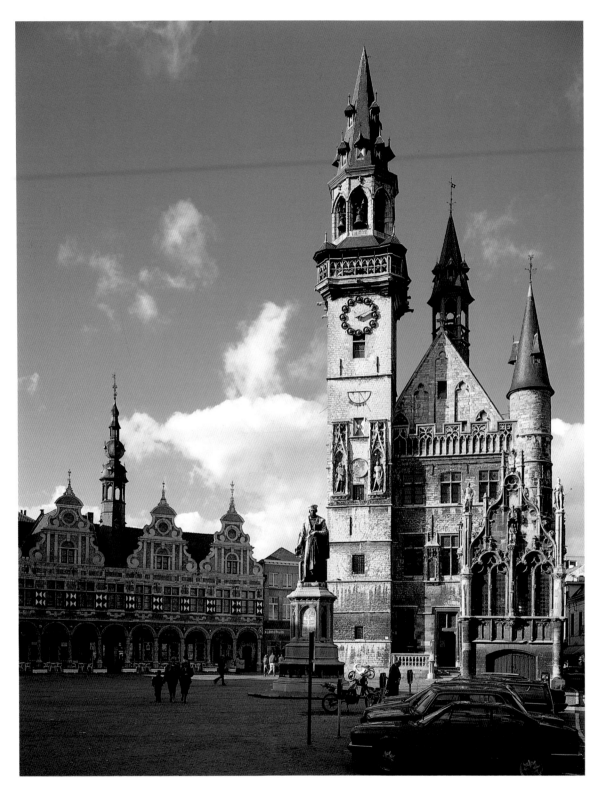

La statue de Thierry Martens, premier imprimeur belge en 1473, a été érigée devant la maison échevinale et le beffroi (XVᵉ siècle) d'**Alost**, sa ville natale.

This statue of Thierry Martens, the first Belgian printer in 1473, stands in front of the Council Chambers and belfry (15th century) at **Aalst**, his native town.

Het standbeeld van Dirk Martens, eerste boekdrukker in België in 1473, staat voor het schepenhuis en het belfort (15de eeuw) van **Aalst**, Martens' geboortestad.

Die Statue Thierry Martens', des ersten belgischen Drukkers im Jahre 1473, wurde vor dem Schöffenhaus und dem Bergfried (15 Jh.) seiner Vaterstadt **Aalst** errichtet.

A l'emplacement d'un château fort dont subsistent les fossés gorgés d'eau, le château de **Poeke** a été reconstruit en style baroque au XVIIᵉ siècle, puis transformé en style classique en 1761. L'ensemble est, malgré tout, fort cohérent et entouré d'un parc qui en souligne la noblesse.

In the 17th century, **Poeke** Castle was rebuilt in baroque style on the site of a fortress of which only the moat remains. The castle was remodelled in the classical style in 1761. Despite this mixture of styles, it has retained its coherence and its nobility, particularly as it is set off by the fine park around it.

Op de plaats van een ouder kasteel waarvan de met water gevulde grachten ook nu nog zichtbaar zijn, werd het kasteel van **Poeke** in de 17de eeuw in barokstijl gebouwd. In 1761 werd het aan de klassieke stijl aangepast zonder nochtans zijn bouwkundige eenheid daarbij in te schieten. Het ligt te midden van een park dat de voornaamheid van het geheel als het ware onderstreept.

An der Stelle, an der zuvor eine Burg gestanden hatte, von der nur noch mit Wasser gefüllte Gräben übrigbleiben, erhebt sich jetzt Schloß **Poeke**, dessen ursprünglicher Barockstil 1761 ein klassisches Gepräge erhielt. Dennoch blieb der architektonische Zusammenhang gewahrt. Auch der Park trägt zum würdevollen Aussehen des Ganzen bei.

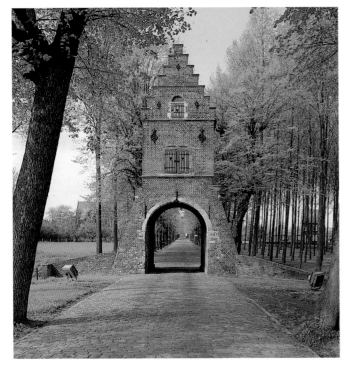

Des trois forteresses qui assuraient, dans la plaine flamande, la défense avancée de Gand, celle de Wondelgem a disparu et celle d'**Ooidonk** a pris l'allure d'un castel de plaisance. Seul le château fort de Laarne a conservé le caractère féodal du XIᵉ siècle. Le château d'Ooidonk, dont le nom évoque le marais où il fut érigé au XIVᵉ siècle, a gardé la grande allure d'une demeure seigneuriale du XVIᵉ siècle.

Van de drie vestingen, die in de Vlaamse vlakte de vooruitgeschoven verdedigingsstellingen vormden van Gent, is het kasteel van Wondelgem verdwenen, terwijl dat van **Ooidonk** mettertijd een aristocratisch lustoord is geworden. Alleen het kasteel van Laarne heeft zijn feodaal karakter der 11de eeuw bewaard. Het kasteel van Ooidonk werd gebouwd in de 14de eeuw. De naam ervan doet nog denken aan het moeras waarin het werd gebouwd. Het kasteel heeft nog heden ten dage de grootse allure van een herenwoning uit de 16de eeuw.

Of the three fortresses in the Flemish plain which used to ensure the advanced defences of Ghent, the one at Wondelgem has disappeared entirely while that of **Ooidonk** has become a purely residential manorhouse. Only Laarne has retained its feudal 11th century character. The castle of Ooidonk, named after the marsh on which it was built in the 14th century, retains the stylish aspect of a 16th century manor-house.

Von den drei Burgen, die in der flandrischen Ebene die Verteidigung der Stadt Gent sicherten, ist Wondelgem verschwunden und hat **Ooidonk** das Gesicht eines Lustschlosses angenommen. Allein Burg Laarne behielt ihr mittelalterliches Aussehen (11. Jh.) Schloß Ooidonk, dessen Name an das Moor erinnert, in dem es im 14. Jahrhundert errichtet wurde, hat das großartige Aussehen eines Herrensitzes aus dem 16. Jahrhundert bewahrt.

△

La grosse « tour lanterne » de l'église Saint-Nicolas est la première des **trois tours** qui se succèdent au cœur de la ville. Elle est aussi la plus ancienne. La construction de ses deux étages ajourés de baies géminées a débuté en 1220. La tour rectangulaire du beffroi est d'un siècle plus tardive. Commencée par le chœur vers 1228, l'édification de la cathédrale Saint-Bavon se prolongea jusqu'au XVIIe siècle.

De stevige kruisingstoren van de Sint-Niklaaskerk is de eerste en oudste van de **drie torens** die het stadsgezicht van het centrum bepalen. De bouw van de twee opengewerkte verdiepingen met gepaarde openingen werd in 1220 aangevat. De rechthoekige toren van het Belfort ontstond een eeuw later. Rond 1228 werd er een aanvang gemaakt met de bouw van het koor van de Sint-Baafs maar de werken sleepten aan tot in de 17de eeuw.

The huge lantern tower of St. Nicholas' church is the grandest and also the oldest of the **three towers** in the heart of the city. Construction of its two stories with gemeled bays began in 1220. The rectangular belfry tower dates from a century later. The choir of St. Bavon was begun around 1228 but construction continued until the 17th century.

Der stämmige Vierungsturm der St.-Nikolauskirche ist der älteste der **drei Türme**, die dem Stadtzentrum sein besonderes Gepräge geben. Mit dem Bau der zwei à jour gearbeiteten Stockwerke mit paarweise gegliederten Öffnungen wurde 1220 begonnen. Der rechteckige Turm des Bergfrieds wurde ein Jahrhundert später errichtet. Etwa 1228 fing man an, den Chor der St.-Baafskathedrale zu bauen, doch die Bauarbeiten währten bis ins 17. Jh. hinein.

◁

A Gand, au **Quai-aux-Herbes**, la maison romane de l'*Etape du blé* (1200), la menue logette du *Receveur de l'étape* (1682), la maison des *Mesureurs de grains* (1698) et celle des *Francs Bateliers* (1531) font défiler cinq siècles d'architecture civile.

In Gent, langs de **Graslei** staan het Romaanse *Koornstapelhuis* (1200), het kleine *Tolhuisje van de tolbaas* (1682), het *Korenmetershuis* (1698) en het gildehuis der *Vrije Schippers* (1531); in één aanblik aanschouwt men vijf eeuwen bouwkunst.

In Ghent, on the **Graslei**, the Romanesque *Corn Granary* (1200), the diminutive lodge of the *Toll Collector* (1682), the *Grain Measurers house* (1698) and that of the *Free Boatmen* (1531) combine five centuries of secular architecture.

In Gent, an der **Graslei** vertreten das romanische *Weizenstapelhaus* (1200), das kleine Häuschen des *Stapeleinnehmers* (1682), das *Kornmesserhaus* (1698) und das *Schifferhaus* (1531) fünf Jahrhunderte bürgerlicher Architektur.

Lorsqu'il acheta la demeure patricienne gantoise de 1755, Ferdinand de Coninck s'empressa de la faire décorer avec faste. A l'occasion de son mariage avec Thérèse Scholt, en 1762, il chargea Norbert van Reysschoot de peindre le plafond de la salle à manger et Frans Allaert de sculpter le mobilier. L'un et l'autre devaient interpréter les symboles de l'amour conjugal. Sous l'Olympe du plafond, le lustre monumental en tilleul, morceau de bravoure du rococo gantois, mesure plus d'un mètre 80 de haut. Quatre putti évoquent les continents, cependant qu'un aigle royal s'empare d'un aiglon, lui-même aux prises avec un dragon. C'est étourdissant d'imagination.

Les murs du salon Louis XVI du **musée des arts décoratifs** sont décorés de grandes peintures à la détrempe, exécutées par le brugeois Ledoux. Celui-ci s'était inspiré de la série des *Saisons* de Pillement.

Nadat Ferdinand de Coninck een in 1755 gebouwde Genste patriciërswoning had aangekocht, liet hij er meteen weelderige verfraaiingen aanbrengen. Naar aanleiding van zijn huwelijk met Th. Scholt in 1762 liet hij N. van Reysschoot het plafond van de eetkamer beschilderen, terwijl F. Allaert de meubels moest ontwerpen. Beider opdracht hield in dat ze de echtelijke liefde in symbolen zouden huldigen. De 1,80 m hoge luchter van lindehout die onder de op het plafond geschilderde Olympus prijkt, is een bravourestuk van rococokunst in het Gentse. Te midden van vier putti — de vier vastelanden — grijpt de koninklijke arend een op zijn beurt door een draak bedreigd arendsjong. Wat een verbijsterende verbeeldingskracht!

In het salon in Lodewijk-XVI-stijl van het **Museum voor Sierkunst** heeft Ledoux uit Brugge de muren met temperaschilderijen beschilderd. Hij ontleende daarvoor elementen aan de cyclus « De Jaargetijden » van Pillement.

When Ferdinand de Coninck bought the patrician house of 1755 in Ghent, he decided to have it luxuriously decorated. When he married in 1762 he commissioned Norbert van Reysschoot to paint the dining room ceiling and Frans Allaert to carve the furniture stipulating that both should portray symbols of conjugal love. Under the Olympia on the ceiling hangs a monumental limewood chandelier measuring more than 1 meter 80, a bravura example of Ghent rococo. Four putti represent the continents while a golden eagle seizes an eaglet, itself struggling with a dragon... imagination has really run riot. The de Coninck mansion is now the **Museum of Docorative Arts**.

The walls of the Louis XVI salon are decorated with large tempera paintings by the Bruges artist, Ledoux. He drew his inspiration from a series of *Seasons* by Pillement.

Nachdem F. de Coninck das 1755 errichtete Patrizierhaus erworben hatte, gab dieser Leibhaber prachtvoller Innenausstattung anläßlich seiner Hochzeit N. van Reysschoot den Auftrag, die Decke des Eßzimmers zu bemalen, während F. Allaert neue Möbel anfertigen sollte. Beide sollten die eheliche Liebe verherrlichen. Als Folge davon hängt jetzt an der den Olymp darstellenden Decke ein riesiger, 1,80 m hoher Lüster aus Lindenholz. Es ist ein Glanzstück des Rokoko im Genter Raum. Die vier Putten stellen die vier Kontinente dar, und der Königsadler umschlingt rettend einen jungen Adler, der seinerseits gegen einen Drachen ankämpft. Welch fabelhafter Einfallsreichtum!

Im **Museum für Dekorationskunst** hat Ledoux aus Brügge die Wände im Salon im Stile Louis-seize mit großen Gemälden in Wasserfarben bemalt. Dabei ließ er sich durch den Zyklus « Die Jahreszeiten » von Pillement inspirieren.

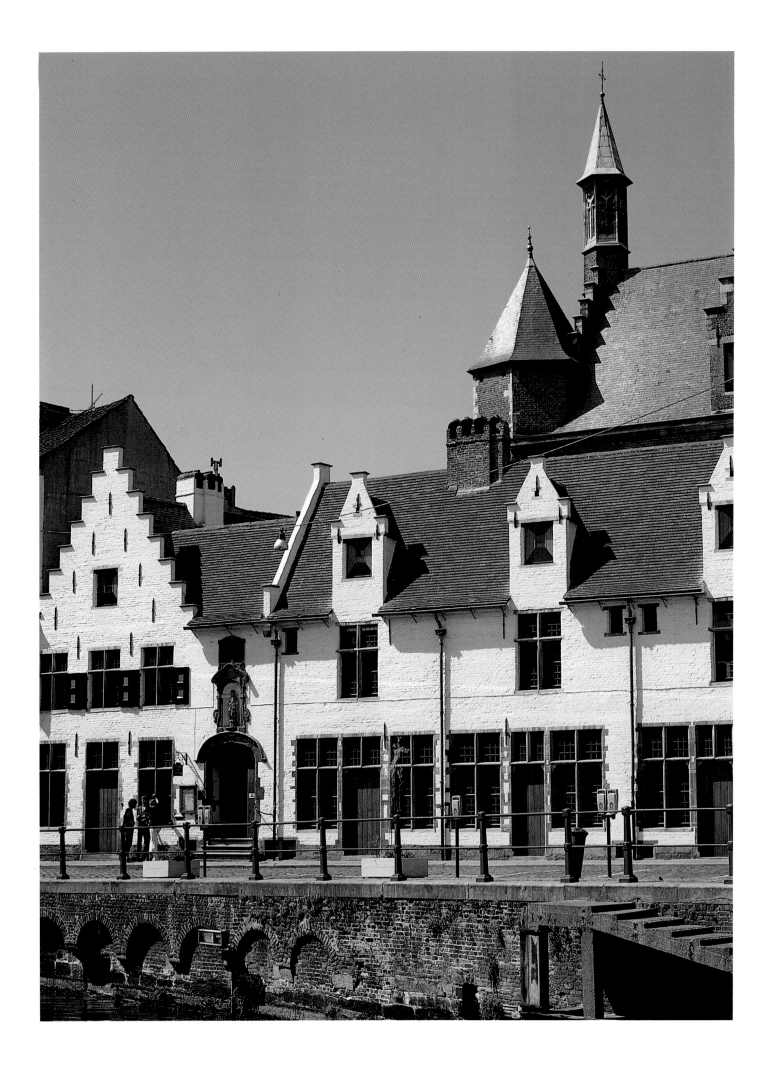

◁

Au cœur du vieux Gand, sur le *Kraanlei* (quai de la Grue), quelques maisonnettes formaient ensemble l'Hôtel-Dieu Alijns (XVIe siècle). Elles abritent aujourd'hui le **musée du folklore**, qui évoque la vie populaire et les métiers du XIXe siècle.

Het Kinderen Alijns-hospitaal (16de eeuw) was ondergebracht in enkele huisjes op de Kraanlei, in het hart van het oude Gent. Nu is het **Museum voor Volkskunde** er in ondergebracht. Het geeft een beeld van het Genste volksleven, inzonderheid de ambachten in de 19de eeuw.

In the old part of Ghent, on the *Kraanlei* (Crane Quay) several small old houses were joined together in the 16th century as a hospital. A present they house a **folklore museum**, which illustrates the every-day life and crafts of the 19th century.

Im Herzen der Genter Altstadt auf dem *Kraanlei* bildeten einige Häuschen zusammen das Krankenhaus (16. Jh.). Sie beherbergen heute das **Heimatmuseum**, das an das Leben der Handwerke des 19. Jh. erinnert.

▷

Les métiers gantois se sont surtout développés après l'année 1302 qui vit la victoire du peuple sur les patriciens alliés au roi de France. La corporation des Tanneurs avait sa maison (1451) admirablement située à un coin du Vrijdagmarkt. La jolie tourelle d'angle, dressée en 1483, lui a voulu de s'appeler **« Het Toreken »**.

In Gent beleefden de gilden hun beste dagen vooral na 1302 en de overwinning van het volk op de patriciërs, die met de koning van Frankrijk samenspanden. Het mooi op een der hoeken van de Vrijdagmarkt gelegen pand was het gildehuis van de leerlooiers (1451). Het heeft zijn naam **« Toreken »** natuurlijk te danken aan zijn sierlijke hoektoren die van 1483 dateert.

The guilds of Ghent developped swiftly after 1302 when the commoners triumphed over the patricians allied to the King of France. The Tanners Guild had its house (1451) well situated on a corner of the Vrijdagmarkt. The pretty corner turret, built in 1483, gave it the name **« Het Toreken »**.

Als das Volk 1302 seinen Sieg über die Patrizier davontrug, die mit dem König von Frankreich gemeinsame Sache machten, erreichten die Zünfte in Gent ihre höchste Blüte. An einer Ecke des Vrijdagmarkt steht das Haus der Lohgerber (1451), das dem 1483 hinzugefügten schmucken Turm seinen Namen **« Toreken »** (Türmchen) verdankt.

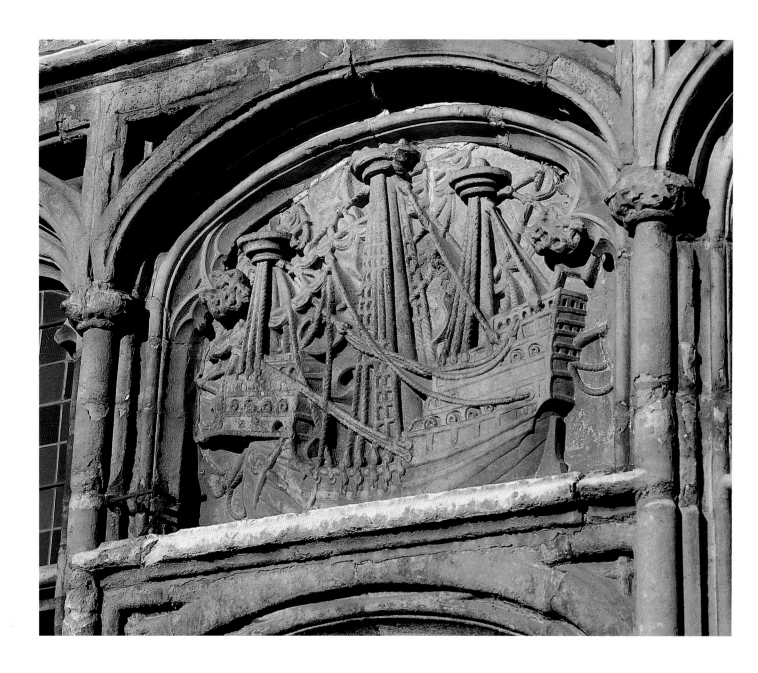

△

Au numéro 14 du Quai-aux-Herbes, la **maison des Francs Bateliers** fut édifiée en 1531 par le maître maçon Christophe van den Berghe. Sa façade très ornée marie les dernières flammes du gothique flamboyant aux premières influences de la Renaissance. Le portail est surmonté d'un très beau bas-relief représentant un *cogge*, bateau à trois mâts de la Baltique, un de ceux qui s'amarraient devant les maisons corporatives débordantes d'activité.

At No. 14, Quai-aux-Herbes, the **House of the Free Boatman** was built in 1531 by the master mason Christophe van den Berghe. Its very ornate façade blends the last flickers of flamboyant Gothic with the first touches of Renaissance. The portal is topped by a beautiful bas relief representing a cog, a three-masted ship from the Baltic of the type that would tie up in front of the bustling guild houses.

Nummer 14 van de Graslei is het **gildehuis van de Vrije Schippers**, dat in 1531 door de meester-metselaar Christoffel van den Berghe werd gebouwd. Op de overvloedig versierde voorgevel valt de glans der laatste vlammen van de flamboyante gotiek en die van het ochtendgloren van de Renaissance. Boven de poort bevindt zich een prachtig bas-reliëf waarop een kogge is uitgebeeld, een van die Baltische driemasters, die voor de van bedrijvigheid gonzende gildehuizen ten anker lagen.

Nummer 14 in der Graslei ist das **Haus der unabhängigen Schiffer**. Der Maurermeister Christoph van den Berghe baute es 1531. Auf die Fassade fallen der letzte Flammenglanz des Flamboyantstils und die ersten Strahlen der beginnenden Renaissance. Über dem Portal befindet sich ein sehr schönes Basrelief, auf dem man eine Kogge sieht, einen jener Dreimaster, die von der Ostsee kamen und vor den Gildehäusern voll bienenhafter Geschäftigkeit haltmachten.

◁◁

Contrairement à la tour (1462-1534) de la **cathédrale Saint-Bavon**, qui perdit en 1603 la flèche qui la surmontait, celle du **beffroi** (1313-1321) en est encore pourvue. A son sommet, souvent remanié, « Klokke Roeland » n'appelle plus les citoyens à la révolte et il n'y a plus de privilège enfermé dans les coffres secrets de la salle inférieure. Mais, le ventre rivé sur la flèche, le dragon scintille toujours comme un monstre aux écailles d'or.

The **belfry** (1313-21), unlike the tower of **St. Bavon's cathedral** (1462-1534) which lost its spire in 1603, still has its own. « Klokke Roeland » no longer urges citizens to rebellion from its often repaired summit, and privileges are no longer stored in the secret safes of the lower hall. However, the dragon, his belly pinned to the spire, still glitters like a gold scaled monster.

In tegenstelling met de toren (1462-1534) van de **Sint-Baafs-kathedraal**, die zijn torenspits in 1603 kwijtraakte, heeft het **Belfort** (1313-1321) zijn weliswaar vaak omgebouwde en gerestaureerde top behouden. Wel hangt « Klokke Roeland » er niet meer om de poorters ten strijde te roepen en liggen er in de geheimvolle kluizen van de benedenzaal geek keuren en handvesten meer opgeborgen. Maar de aan de pijl van de windwijzer vastgeklonken draak fonkelt en flikkert nog altijd boven Gent zoals een monster met gouden schubben.

Im Gegensatz zum Turm (1462-1534) der **St.-Baafskathedrale**, der 1603 seiner Spitze verlustig ging, ist die zwar oft umgebaute Turmspitze des **Bergfrieds** (1313-1321) erhalten geblieben. Dort hängt jedoch keine « Klokke Roeland » mehr, um die Bürger zum Streit zu rufen, und in den geheimnisvollen Truhen des unteren Saales werden keine Privilegien mehr aufbewahrt. Doch, den Pfeil der Wetterfahne umklammernd, glänzt und funkelt der Drache noch immer über Gent wie ein mit goldenen Schuppen bedecktes Ungeheuer.

△

En venant vivre dans une bicoque de bois à **Laethem-Saint-Martin**, sur les rives de la Lys, Albert Servaes donna le branle à la peinture expressionniste flamande qu'illustrèrent Fritz van den Berghe, Gustave de Smet, Valerius de Saedeleer et Constant Permeke.

When he moved into a wooden hut at **Laethem-Saint-Martin** on the banks of the Lys, Albert Servaes laid the foundations of the Flemish expressionist school of painters which included Fritz van den Berghe, Gustave de Smet, Valerius de Saedeleer and Constant Permeke.

Nadat Albert Servaes zich had geïnstalleerd in een houten optrekje in **Sint-Martens-Latem** aan de oever van de Leie, legde hij daar de basis van de Vlaams-expressionistische schilderkunst, later ook beoefend door Fritz van den Berghe, Gustaaf de Smet, Valerius de Saedeleer en Constant Permeke.

Indem er sich in einem Häuschen in **Sint-Martens-Latem** an den Ufern der Leie niederließ, brachte Albert Servaes die expressionistische flämische Malerei in Schwung, die durch Fritz van den Berghe, Gustave de Smet, Valerius de Saedeleer und Constant Permeke berühmt wurde.

Deux inscriptions apposées sur la façade de la maison communale de **Kaprijke**, dans le Meetjesland, rappellent qu'elle fut construite en 1663 et incendiée vingt ans plus tard. Fort heureusement, lorsque les armées de Louis XIV y boutèrent le feu, elles ne réussirent qu'à endommager la toiture. La restauration du XIXᵉ siècle ne modifia donc ni la structure ni la distinction de cet édifice de style baroque rural, caractérisé par des listels de pierre, des volutes s'achevant en cornes d'abondance et une porte cintrée surmontée d'un œil-de-bœuf.

Two inscriptions on the façade of the town hall of **Kaprijke** in the Meetjesland state that it was built in 1663 and burned twenty years later. It is fortunate that when the soldiers of Louis XIV set it on fire only the roof was damaged. A nineteenth century restoration neither changed the structure nor spoiled the refinement of this building in the rural baroque style, characterized by stone fillets, volutes ending in corncucopias and a central door surmounted by a bull's-eye window.

Op de voorgevel van het stadhuis van **Kaprijke** in het Meetjesland herinneren twee inscripties eraan dat het gebouw in 1663 werd opgetrokken, maar twintig jaar later in brand werd gestoken. Gelukkig slaagden de brandstekers — troepen van Lodewijk XIV — er slechts in het dak te beschadigen. Ook tijdens de restauratiewerkzaamheden in de 19de eeuw bleef de typisch landelijke barokstijl onaangetast. Opmerkelijk zijn vooral de smalle stenen lijsten, de in hoornen des overvloeds uitlopende voluten en het ronde raam boven de boogdeur.

Auf der Fassade des Rathauses von **Kaprijke** im Meetjesland erinnern zwei Inschriften daran, daß Gebäude 1663 errichtet und zwanzig Jahre danach in Brand gesteckt wurde. Zum Glück gelang es den Brandstiftern — Soldaten Ludwigs XIV — nur, das Dach zu beschädigen. Der ländliche Barockstil des Gebäudes blieb wohl auch deshalb während der Restaurationsarbeiten im 19. Jh. völlig erhalten. Typisch sind die schmalen Leisten aus Stein, die in Füllhörner mündenden Spiralen und das runde Fenster über dem oben bogenförmigen Eingang.

Du sommet du beffroi de Bruges, on aperçoit le **Quai du Rosaire**. Et si l'on se tourne vers la **grand-place**, quelques maisons intéressantes s'offrent au regard, telles « le Panier » (1622) ou « la maison aux Ancres » (1621).

The **Rosary Wharf** is visible from the summit of the belfry and, turning towards the **Grand-Place** one sees several interesting houses such as « The Basket » of 1622 or the House of Anchors (1621).

Van boven op het Belfort van Brugge geniet men een uitzicht op de **Rozenhoedkaai**. In de richting van de **Markt** kijkende, ziet men prachtige huizen (1621-1622) met mooie uithangborden waarop korven, ankers enz. zijn afgebeeld en die daaraan hun namen ontlenen.

Von oben auf dem Bergfried von Brügge sieht man unten den **Rozenkranzkai**. Schaut man zum **Marktplatz** hin, dann fallen einige bemerkenswerte Häuser auf mit Schildern, auf denen Körbe, Anker usw. abgebildet sind, denen sie ihre Namen verdanken (1621-1622).

Le **Quai du Rosaire** aligne ses pignons à gradins sur les rives qui bordent les eaux dormantes de la Reie et, joyau de l'architecture civile du moyen âge, le beffroi de Bruges (1282-1484) domine la ville, tel un long bras de pierre (84 m), et signifie aux alentours sa puissance.

The succession of stepgables at the **Rosary Wharf** puts rhythm into the peacefully flowing waters of the Reie and the 270 ft. high belfry of Bruges (1272-1484), a masterpiece of medieval secular architecture, looks like a stone testimonial to the power of the city.

De trapgeveltjes langs de **Rozenhoedkaai** weerspiegelen zich in het zachtjes voortglijdende water van de Reie en het belfort van Brugge (1282-1484), een der prachtigste voorbeelden van wereldlijke kunst in de Middeleeuwen, verheft zijn lange stenen arm van 84 meter naar omhoog als symbool van de macht van de stad.

Die aufeinander folgenden Treppengiebel am **Rosenkranzkai** beleben die Ufer der traumstill vorbeifliessenden Reie, und der Bergfried von Brügge (1282-1484), ein Paradebeispiel bürgerlicher Baukunst im Mittelalter, ragt wie ein 84 Meter langer steinerner Arm in die Höhe und tut der Umgebung die Macht Brügges kund.

Place du Bourg, le comte Louis de Male posa en 1376 la première pierre de l'hôtel de ville de style gothique flamand-brabançon caractérisé par sa verticalité.

A gauche du monument, Jean Mone a posé la façade de transition de l'ancien Greffe du Franc, adaptation heureuse de la Renaissance italienne et française aux lignes gothiques.

Toujours place du Bourg, le palais de Justice, commencé en 1520 sur l'emplacement de la maison du Franc, a été en majeure partie reconstruit au XVIIIᵉ siècle.

In the **Burgplein**, Count Louis de Male laid the first stone of the Town Hall in 1376. The edifice is characteristic of the Flemish-Brabantine Gothic style, with its emphasis on verticality.

To the left, Jean Mone built the transitional façade of the former Records Office of the free city of Bruges, skilfully combining French and Italian Renaissance elements with Gothic. Further to the left is the Court of Justice begun in 1520 on the site of the County Hall of the free state of Bruges, mostly rebuilt in the 18th century.

Op de **Burg** legde Lodewijk van Male in 1376 de eerste steen van het stadhuis in Vlaams-Brabantse gotische stijl met vertikale geledingen.

Links van het stadhuis bevindt zich de gevel van de oude Griffie van het Brugse Vrije. Jan Mone is er hier volledig in geslaagd de Franse en Italiaanse Renaissance op harmonische wijze met het gotische lijnenspel te verzoenen.

Op hetzelfde plein rijst ook het Gerechtshof op, dat in 1520 op de plaats van het Landhuis van het Brugse Vrije werd opgetrokken, maar grotendeels in de 18de eeuw werd herbouwd.

Auf dem **Burgplatz** legte Graf Louis de Male 1376 den Grundstein des Rathauses, dessen Flamboyantstil die senkrechten Linien entschieden bevorzugt.

Links vom Rathaus errichtete Johannes Mone die Übergangsmauer der ehemaligen Gerichtskanzlei der Freistätte Brügges. Es gelang ihm dabei, den Stil der italienischen und französischen Renaissance und das gotische Linienspiel aneinander anzugleichen.

Auf dem Burgplatz steht auch der 1520 auf der Stelle der Freistätte Brügges errichtete Justizpalast, der im 18. Jh. teilweise umgebaut wurde.

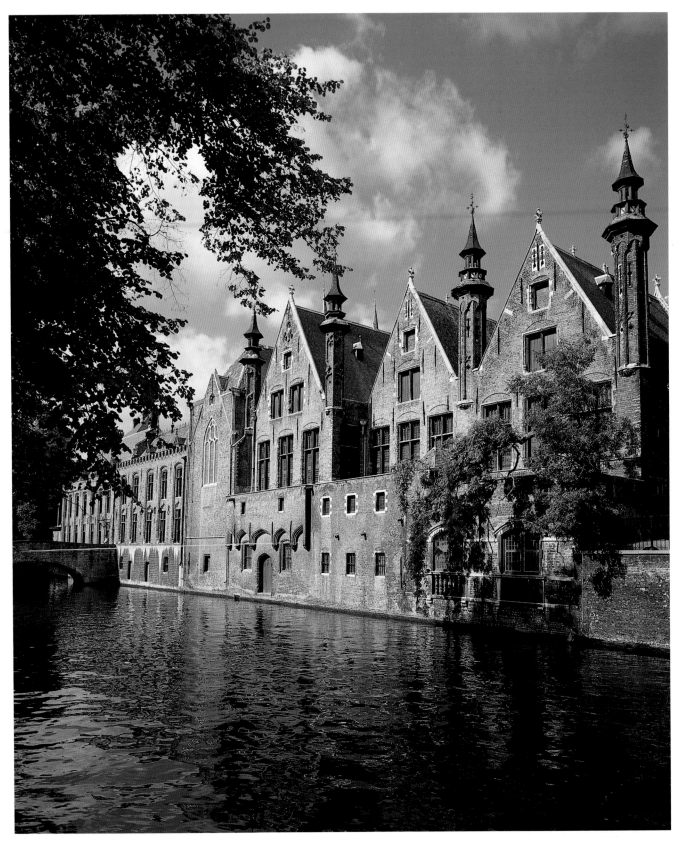

De l'édifice primitif du **Franc de Bruges**, il reste la façade sur le canal, qui jouxte celle de l'ancien Greffe. Cet ensemble architectural qu'agrémente le jeu des pignons et des tourelles donne au Groenerei un charme fascinant.

The façade overlooking the canal, adjoining the front of the **Records Office**, is the only part of the old County Hall of Bruges which remains today. This architectural ensemble, enhanced by its gables and turrets, lends charm and fascination to the Groenerei.

Van het oorspronkelijke **Brugse Vrije** blijft alleen nog de gevel langs de gracht over. Hij staat naast die van de oude Griffie. Ze vormen samen een bouwkundig geheel dat door puntgevels en torentjes wordt verfraaid en een onweerstaanbare charme verleent aan de Groenerei.

Von dem ursprünglichen Gebäude der **Freistätte Brügges** («het Brugse Vrije») bleibt nur die Fassade am Kanal übrig, der an der Gerichtskanzlei vorbeifleißt. Das Zusammenspiel von Giebelspitzen und Türmchen verleiht dem Groenerei einen unwiderstehlichen Charme.

A Bruges, le pont qui, depuis 1740, franchit en trois arches la Reie, mène au portail d'entrée (1776) du **béguinage de la Vigne** fondé en 1245 par Marguerite de Constantinople, fille de Baudouin IX. De pieuses femmes s'y vouaient à la prière et au travail; elles préparaient notamment la laine pour les tisserands.

Depuis 1930, date de la mort de la dernière béguine, une communauté de religieuses bénédictines a pris le relais. Il a gardé son caractère d'enclos bordé de petites maisons blanches à pignons.

In Bruges, crossing the Reie, the three arches of this bridge, built in 1740, lead to the entrance portal (1776) of the **Beguine convent called « the Vineyard »**. The convent, founded in 1245 by Margaret of Constantinople, housed pious women who devoted their time to prayer and work, notably preparing wool for weavers.

When the last Beguine died in 1930, a community of Benedictine nuns took over the convent. It is still an enclosure bordered with small white gabled houses.

De brug die sinds 1740 met haar drie bruggebogen beide oevers van de Reie met elkaar verbindt, leidt tot de ingangspoort (1776) van het **begijnhof « Ten Wijngaerde »** te Brugge dat in 1245 door Margareta van Constantinopel werd gesticht. Vrome vrouwen wijdden er hun leven aan werk en gebed; ze bereidden er o.a. wol voor de wevers.

Na de dood van de laatste begijn in 1930 heeft een communauteit van benedictinessen de plaats van de begijnen ingenomen. Het is nog steeds een besloten hofje omringd door witte huisjes met puntgeveltjes.

Die Brücke, die sich seit 1740 in drei Bögen über die Gracht spannt, führt zum Eingangsportal des 1245 von Margaretha von Konstantinopel, Tochter Balduins IX., ins Leben gerufenen und **« Weinberg » genannten Stifts der Beginen** in Brügge. Fromme Frauen widmeten sich dort dem Gebet und der Arbeit. Sie nahmen u.a. die Aufbereitung der Wolle für die Weber auf sich.

Nachdem 1930 die letzte Begine verschieden war, hat eine Gemeinschaft von Benediktinerinnen das Stift übernommen. Der von weißen Giebelhäuschen umschlossene Hofraum hat seine Eigenart noch ganz bewahrt.

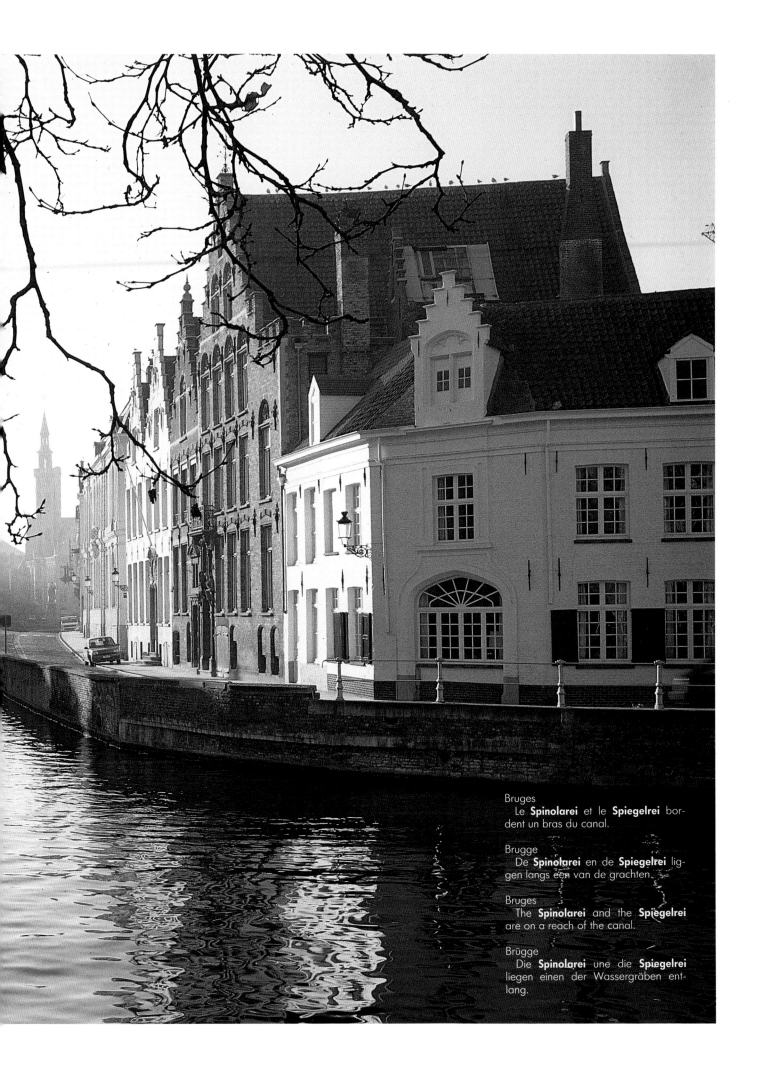

Bruges
Le **Spinolarei** et le **Spiegelrei** bordent un bras du canal.

Brugge
De **Spinolarei** en de **Spiegelrei** liggen langs een van de grachten.

Bruges
The **Spinolarei** and the **Spiegelrei** are on a reach of the canal.

Brügge
Die **Spinolarei** une die **Spiegelrei** liegen einen der Wassergräben entlang.

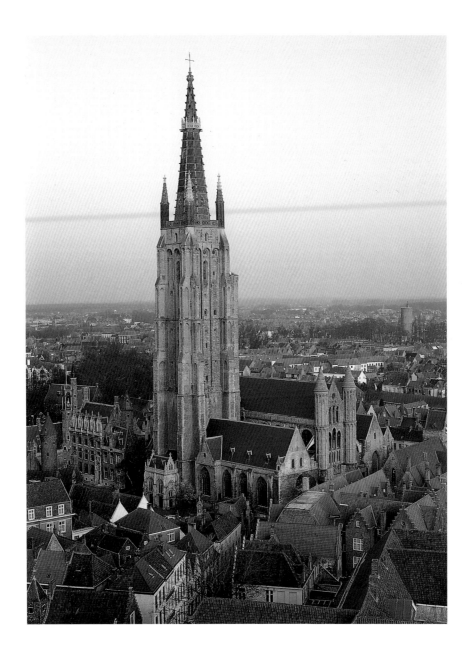

◁

Mise à sac par les Gueux en 1579, l'**église Sainte-Anne** fut restaurée par les Brugeois en style baroque, mais en maintenant les structures gothiques. Le sanctuaire se profile derrière les pignons à gradins des maisons du XVIᵉ siècle et devant la tour baroque de Sainte-Walburge que dessina le frère Pierre Huyssens.

Al bouwde men de in 1579 door de Geuzen verwoeste **St.-Annakerk** te Brugge later weer op in de toen opgang makende barokstijl, toch bleef de gotische bouwvorm onaangetast. Het gebouw verrijst achter trapgevels uit de 16de eeuw en voor de barokke toren van de St.-Walburgakerk, die door de Jezuietenbroeder P. Huyssens werd ontworpen.

Sacked by the Sea Beggars in 1579, the **church of Saint Anna** was restored by the citizens of Bruges in the baroque style while maintaining Gothic elements. The sanctuary rises behind the stepped gables of 16th century houses and in front of the baroque tower of Saint Walburga, designed by Brother Pierre Huyssens.

Die von den Geusen zerstörte **St.-Annakirche** in Brügge wurde später im Barockstil, doch dem gotischen Grundplan folgend wieder aufgebaut. Sie erhebt sich zwischen Häusern mit abgetreppten Giebeln aus dem 16. Jh. und dem von Bruder P. Huyssens entworfenen Turm der Walburgakirche, ebenfalls im Barockstil.

△

Entièrement bâtie en brique, la tour de l'**église Notre-Dame** dresse, depuis le XIVᵉ siècle, son élégante silhouette à 122 m de hauteur.

122 m hoog is de sierlijke toren van de **Onze-Lieve-Vrouwkerk,** geheel en al uit baksteen opgetrokken in het begin van de 14de eeuw.

The elegant 14th century brick tower of the **church of Our Lady** rises to a height of some 122 meters.

Der ganz aus Backstein gebaute Turm der **Liebfrauenkirche** erhebt seit dem 14 Jahrhundert seine elegante Gestalt in 122 Meter Höhe.

Avec ses maisons basses aux briques soigneusement chaulées et aux soubassements goudronnés, le village de **Lissewege** est l'un des plus typiques de la Flandre maritime. Dernier témoin de son passé de ville riche et puissante, la robuste masse rose de la tour de son église du XIIIᵉ siècle servait semble-t-il de phare, les nuits de tempête.

The village of **Lissewege** with its low, whitewashed brick houses sitting on their tarred foundations, is typical of coastal Flanders. The sturdy, rose church tower (13th century), which served as a lighthouse on stormy nights, is the sole reminder of its rich and powerful past.

Lissewege, het dorp met de lage, gewitte en onderaan beteerde huizen, is uiterst typisch voor de Vlaamse kuststreek. De stoere toren met zijn vale roze tint werd zoals de kerk zelf in de 13de eeuw gebouwd. Hij is de laatste getuige van de rijke en machtige stad die zich toen hier uitstrekte. Naar het schijnt deed hij soms dienst als vuurtoren als er 's nachts storm op zee was.

Mit seinen niedrigen, weißgekalkten, in Bodennähe geteerten Häusern ist **Lissewege** ein sehr charakteristisches Dorf des flämischen Küstengebietes. Der wuchtige, rosafarbene Turm der Kirche (13. Jh.) ist das letzte Baudenkmal, das an den Reichtum und die Macht der Stadt erinnert, die sich einst zu seinen Füßen ausbreitete. Früher, so scheint es, wurde er als Leuchtturm benützt, wenn Schiffe nachts gegen den Sturm kämpfen mußten.

164

Peu après l'achèvement de la *digue du chien,* construite en 1168, **Damme** devint l'entrepôt commercial de Bruges devenue inaccessible aux navires de haute mer. La Hanse de Londres y établit un comptoir et les Lombards un dépôt. Le port était « si grand, rapportait Guillaume le Breton en 1213, qu'il peut contenir toute notre flotte ». Et il prétendait que la flotte de Philippe-Auguste comptait 1.700 bateaux !

Un canal relié au Zwin assurait la communication entre Damme et Bruges. Mais l'ensablement gagna, à leur tour, Damme puis Sluis, et le canal perdit bientôt le chemin de l'océan...

Shortly after the completion of the *Dog's Dyke* in 1168, **Damme** became the trading entrepot for Bruges, no longer accessible to deep water ships. *The London Hanse opened* a branch and the Lombards a warehouse. In 1213 Guillaume le Breton reported that the port was « so large that it could hold our whole fleet ». And he claimed that the fleet of Philip-Augustus consisted of 1,700 vessels !

A canal to the Zwin provided the connection between Damme and Bruges. But first Damme and then Sluis silted up and the canal could no longer reach the sea.

Korte tijd nadat de Hondsdam was opgeworpen (1168), werd **Damme** de opslagplaats en de zeehaven van Brugge, dat voor de grote schepen niet meer bereikbaar was. De Hanze van Londen en de Lombarden hadden er factorijen. Volgens Willem van Bretagne, die de Franse vloot ten tijde van Filips II August op 1.700 schepen had geraamd, was de haven « groot genoeg voor onze hele vloot » !

Brugge was door een kanaal met Damme verbonden en, toen de verzanding van het Zwin verder gevorderd was, met Sluis, dat op zijn beurt aan de verzanding ten prooi viel.

Nachdem der « Hondsdam » 1168 errichtet worden war, wurde **Damme** der Seehafen Brügges, das die Seeschiffe nicht mehr erreichten. Die Hansa von London und die Lombarden hatten Kontore in Damme. Guillaume von Bretagne, der die Flotte Philipps II, von Frankreich auf 1.700 Schiffe schätzte, fand Damme « groß genug für unsere ganze Flotte ».

Ein zum Zwim führender Kanal verband Brügge mit Dmame, später mit Sluis, bis auch Sluis durch die fortschreitende Versandung vom Meer abgeschnitten, wurde.

Par sa dimension, l'église de **Damme** rappelle les heures de gloire de la cité marchande. Aujourd'hui, la tour (1230-1250) est, selon le mot de Michel de Ghelderode, « arrachée à son église et semble aller à la dérive vers les campagnes ».

Le gracieux clocheton de l'hôtel de ville gothique (1464-1468) évoque le mariage de Charles le Téméraire et de Marguerite d'York, célébré à Damme en 1468.

The imposing church of **Damme** recalls the prosperous days of the merchant city. According to Michel de Ghelderode, the Belgian poet, the tower (1230-1250) seems to be « torn from its church and drifting away, towards the fields ».

The graceful belfry of the Gothic town hall (1464-68) recalls the marriage of Charles the Bold to Margaret of York in Damme in 1468.

De afmetingen van de kerk in **Damme** herinneren aan het grootse verleden van de handelsstad. De toren (1230-1250) lijkt, zoals Michel de Ghelderode schreef, « losgerukt van de kerk en schijnt af te drijven naar het platteland ».

Het sierlijke torentje van het gotische stadhuis (1464-1468) roept herinneringen op aan het huwelijk van Karel de Stoute met Margareta van York, dat in 1468 in Damme gevierd werd.

Die Ausmasse der Kirche von **Damme** lassen die vergangene Größe und den damaligen Reichtum der Handelsstadt erahnen. Heute erweckt der Turm (1230-1250), wie der Dichter Michel de Ghelderode sagt, den Eindruck, « er habe sich von der Kirche losgelöst und lasse sich willenlos landwärts treiben ».

Der Dachreiter des gotischen Rathauses (1464-1468) erinnert noch an die Heirat Karls des Kühnen mit Margarete von York, die 1468 in Damme stattfand.

Le moulin de **Damme**.
Windmolen van **Damme**.
Windmill of **Damme**.
Windmühle in **Damme**.

Furnes est la plus espagnole des villes flamandes, par la procession des pénitents en cagoule, l'ultime dimanche de juillet, mais aussi par les maisons à pignons redentés (XVIe siècle) du *Grote Markt*. De l'église gothique Sainte-Walburge, Rainer-Maria Rilke a dit qu'elle était « l'une de ces gigantesques nefs englouties, inertes dans leur naufrage séculaire ».

Furnes is the most Spanish of Flemish towns, with its procession of hooded penitents on the last Sunday in July, but also with the 16th century cusped gabled houses of the *Grote Markt*. Rainer-Maria Rilke said of the Gothic Saint-Walburga Church that it was « one of those gigantic, sunken ships, made motionless in their secular shipwreck ».

Veurne is de meest Spaanse van alle Vlaamse steden. De processie van in monnikskappen geklede boetelingen die op de laatste zondag van juli door de stad trekt, heeft een haast Spaans karakter. De huizen met bladvormige puntgevels (16de eeuw) rond de Grote Markt doen eveneens aan Spanje denken. Over de St.-Walburgakerk schreef de dichter Rainer Maria Rilke dat ze op « een van die gigantische verzonken schepen » leek die « verstard zijn in hun eeuwenoude schipbreuk ».

Veurne ist die am meisten spanisch gebliebene Stadt Flanderns, nicht nur wegen seiner am letzten Julisonntag stattfindenden Butprozession, während der alle Teilnehmer Mönchskutten tragen müssen, sondern auch in Anbetracht seiner Häuser mit Treppengiebeln. Die gotische St.-Walburgakirche erinnerte Rainer-Maria Rilke an « Wracks riesiger Kirchenschiffe (...) leblos, in hundertjähriger Havarie ».

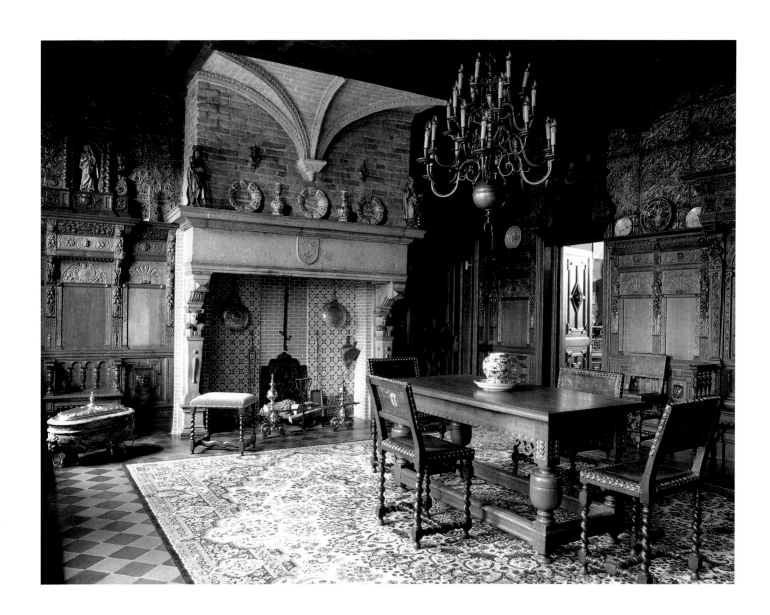

En reconstruisant le château de **Beauvoorde** qui tombait en ruines, le chevalier Arthur Merghelynck en rénova entièrement l'intérieur. Il en fit une demeure confortable, meublée dans le style principalement XVIIe siècle, mais enrichi de précieux objets de collection. Aujourd'hui, Beauvoorde abrite les travaux de l'Académie royale de langue et de littérature néerlandaises.

When Chevalier Arthur Merghelynck rebuilt the **Beauvoorde** château which was falling to pieces, he renovated the interior completely. This now comfortable dwelling is furnished mainly in the 17th century style, enriched with valuable collector's pieces. Beauvoorde is today the seat of the Royal Academy of Flemish Language and Literature.

Toen jonkheer A. Merghelynck het vervallen kasteel van **Beauvoorde** weer liet opknappen, werd ook de binneninrichting totaal venieuwd. Naast de talrijke, geriefelijke meubels uit de 17de eeuw staan kostbare voorwerpen uit collecties. Beauvoorde staat thans ter beschikking van de Koninklijke Academie voor Nederlandse Taal en Letterkunde.

Als Chevalier A. Merghelynck das vom Verfall bedrohte Schloß **Beauvoorde** wieder errichten ließ, wurde auch die gesamte Innenausstattung erneuert. Von kostbaren Gegenständen aus Sammlungen abgesehen, möblierte er seinen Wohnsitz aufs angenehmste im Stil des 17. Jh. Heute tritt hier die Königliche Akademie für niederländische Sprache und Literatur zusammen.

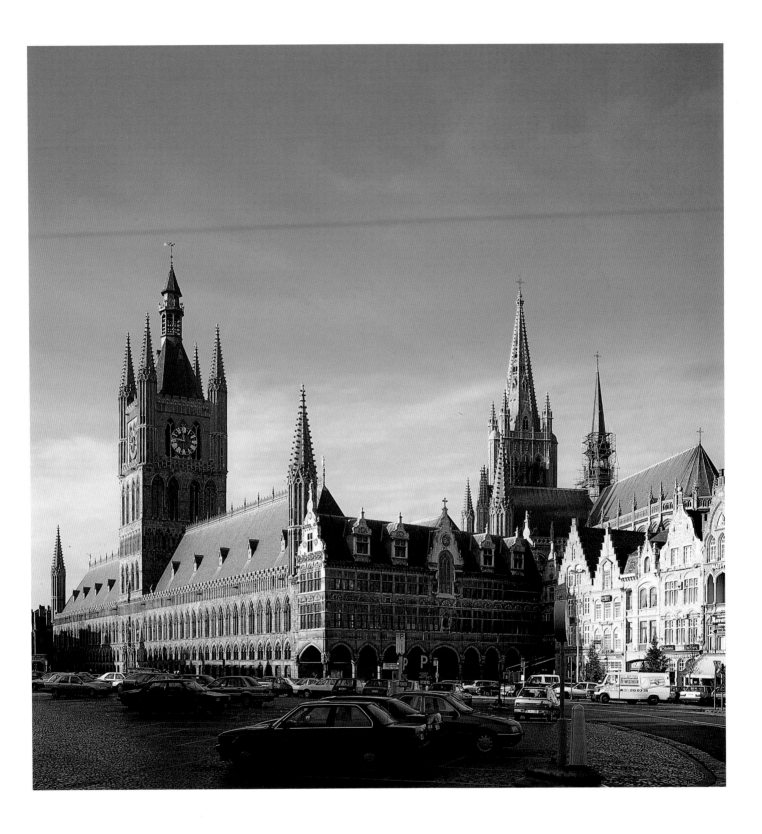

Rétablis dans leur gloire d'antan, le beffroi d'**Ypres** et les halles aux draps déployées sur 350 mètres veillent sur la ville qui doit sa prospérité première à l'industrie drapière.

Restored to their former glory, the Belfry of **Ypres** and the Cloth Hall, which measures close on 350 meters, watch over the city which first owed its prosperity to the cloth industry.

Het belfort van **Ieper** evenals de 350 m brede en in haar vroegere glorie herstelde Lakenhalle waken over de stad, die haar voorspoed aan de lakennijverheid te danken heeft.

In ihrem einstmaligen Glanz wiederhergestellt, wachen der **Yperner Belfried** und die Tuchhallen auf einer Breite von 350 Metern über die Stadt, die ihren ersten Wohlstand der Tuchindustrie verdankt.

Au bord de la digue-promenade de **Blankenberge**, les cinq cents mètres du *Pier* se terminent par une plate-forme octogonale. L'*Aquarama* y rassemble des coquillages rares et reconstitue les secrets de la vie sous-marine.

Aan het uiteinde van de 500 m lange *Pier*, de brede wandeldijk van **Blankenberge**, ligt een achthoekig uitzichtterras. Het *Aquarama* bevat een zeldzame verzameling van schelpen en tevens een uitbeelding van het leven onder de zeespiegel.

At the end of the sea wall promenade in **Blankenberge**, 500 meters of pier lead to an octagonal platform where the *Aquarama*, displaying the mysteries of marine life and a fine collection of shells, is situated.

Die 500 m lange Deichpromenade des *Pier* in **Blankenberge** endet auf einem achteckigen Platz. *Aquarama*, ein Aquarienhaus, zeigt seltsame Muscheln und gibt ein eindrucksvolles Bild vom Leben unter dem Meeresspiegel.

Vieille cité de marins, de flibustiers et de gueux, forteresse désaffectée, **Ostende** fut sous le règne de Léopold II la station balnéaire par excellence. Elle est aussi le plus grand port de pêche du pays et le point d'embarquement pour Douvres. Telle elle apparaît aujourd'hui aux passagers groupés sur le pont de la malle venue d'Angleterre.

De oude zeehaven van **Oostende**, waar zeerovers en geuzen een schuilplaats hadden gevonden, vooraleer de vesting buiten gebruik werd gesteld, werd pas ten tijde van Leopold II de badstad bij uitstek. Het is tevens de grootste visserhaven van het land en de inschepingsplaats naar Dover. Ziehier hoe de passagiers de stad zien als ze opeengepakt op het dek van de uit Engeland komende ferry staan.

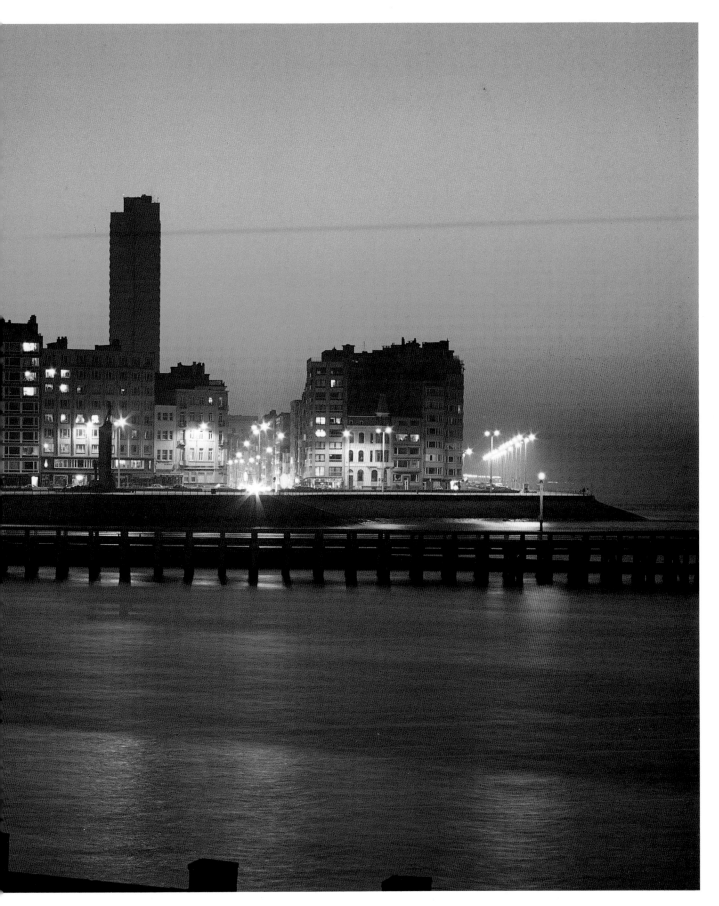

In bygone days a haven for sailors, freebooters and seadogs, **Ostend** became the seaside resort *par excellence* under Leopold II. It is Belgium's largest fishing port and the crossing point for Dover. This is how it appears today to the passengers grouped on the deck of the ferry from England.

Ostende war früher ein Unterschlupf für Seeräuber und Geusen sowie ein befestigter Schutzhafen. Leopold II machte er zu einem mondänen Badeort. Nun ist es der größte Fischerhafen Belgiens und ein Einschiffungsplatz nach Dover. Das Bild zeigt, wie die Passagiere die Stadt sehen, wenn sie Mann an Mann auf dem Deck des ankommenden Fährschiffs stehen.

© 1993 S.p.r.l. EDITIONS PAUL MERCKX UITGEVERIJ B.v.b.a.
Avenue des Statuaires 145a, B-1180 Bruxelles.
Beeldhouwerslaan 145a, B-1180 Brussel.

Tel. 02/374.41.56 - Fax 32/2/375.80.37.

Editor : Vincent Merckx.

Photos Damien Hubaut.
Paul Merckx for pages 13, 16, 18, 19, 21, 27-30, 34, 36, 38-44, 46, 47, 49, 51, 64-66, 68, 69, 72, 74, 75, 82, 85, 89, 94-97, 101, 102, 107, 108a, 112, 114, 115, 117, 120, 121, 124, 125, 126, 129b, 130, 131, 136, 137, 142-145, 148-150, 152, 156, 157, 165, 167, 168.

Nederlandse bewerking door Aloys Bertha, Brussel.
English translation by Sheila Tessier-Lavigne, Duclos (Québec).
Deutsche Übertragung von Aloys Bertha, Brüssel.

Photo-engraving in Belgium by Techniscan, Grimbergen.
Printed in Belgium by Euroset, Kuurne.

D-1993-0398-6
ISBN 90-74847-01-3